PETITS CLASSIQUES

LAR

Collection fondée par

D0372402

La Peur
et autres contes fantastiques

GUY DE MAUPASSANT

Édition présentée,
annotée et commentée
par
Joël PLANQUE
Professeur certifié
Docteur ès Lettres

www.petitsclassiques.com

Avant d'aborder le texte

La Peur
GUY DE MAUPASSANT

SOMMAIRE

Comment lire l'œuvre

Avant d'aborder le texte

La Peur et autres contes fantastiques

Genre : contes fantastiques.

Auteur : Guy de Maupassant (1850-1893).

Structure : six contes indépendants les uns des autres, en recueil. Pour chacun des six contes, le récit est pris en charge par un o[...] deux narrateurs secondaires, puis par un narrateur principal.

Principaux personnages : un vieux canotier, un homme au[...] allures de baroudeur, voyageur sans peur, un juge d'instructio[...] confronté à un fait inexplicable, un fier cavalier de garniso[...] contraint de peigner la chevelure d'une revenante, un locatair[...] qui, de retour chez lui, trouve sa place occupée, un bourgeo[...] lui aussi de retour et qui voit ses meubles passer par la porte e[...] le bousculant au passage.

Sujet : dans tous les cas, des faits échappant à la logique, de[...] faits inhabituels, l'inexplicable dont le mystère fait douter le[...] raisons les plus solides, une énigme dont on ne trouve jama[...] la clé. Partout, la crainte, le doute, l'angoisse, la peur, [...] panique, dans les deux derniers contes, *Lui ?* et *Qui sait ?*, u[...] folie latente.

Publication : *La Peur*, le 23 octobre 1882 dans *Le Gaulo[...] La Main*, le 23 décembre 1883 dans *Le Gaulois. Sur l'eau* (so[...] le titre *En canot*) en mars 1876 dans *Le Bulletin français* le 26 juin 1891 dans *L'Intransigeant*, sous le titre définit[...] *Apparition* dans *Le Gaulois* du 4 avril 1883. *Lui ?* dans G[...] *Blas* du 3 juillet 1883. *Qui sait ?* dans *L'Écho de Paris* [...] 6 avril 1890.

Apparition. *Illustration de Kelek,*
recueil des Contes étranges, *Hatier, 1989.*

GUY
DE MAUPASSANT
(1850-1893)

Les heurts de l'enfance

1850

Le 5 août, naissance en Seine-Maritime de Guy de Maupassant. L'acte de naissance officiel, sur demande de sa mère, fait mention du château de Miromesnil, loué peu de temps avant l'accouchement. On peut penser cependant que l'écrivain est né à Fécamp, dans la maison de ses grands-parents paternels.

La mère, Laure Le Poittevin, est une lettrée amie d'enfance de Flaubert, qu'elle admire et vénère ; son mariage avec Gustave de Maupassant date de 1846. Lui est un agent de change anobli, amateur de peintures et séducteur infidèle.

1856

Naissance d'Hervé, frère de Guy, au château de Grainville-Ymauville, près du Havre ; on en trouve la description dans *Une vie*.

1859

La famille s'installe à Paris ; Guy fréquente le lycée Napoléon (aujourd'hui lycée Henri IV).

1861-1863

De nombreuses scènes de ménage, assorties de violences conjugales, opposent les parents ; Guy en est définitivement marqué et apprend là à douter du mariage. Lorsque les deux époux se séparent à l'amiable, la garde des deux enfants est confiée à la mère, qui s'installe à Verguiès, dans la région d'Étretat. Guy et Hervé y côtoient des camarades dont ils apprennent le patois, le cauchois.

Des influences décisives

863

Laure vient de lire *Salammbô* à son fils aîné. À Étretat, dans les parages du casino, il flâne sur la plage caillouteuse, les tempêtes et la mer le fascinent. Gustave Courbet séjourne là. Guy est inscrit au petit séminaire d'Yvetot, il y éprouve un pesant sentiment d'ennui, de solitude et de désarroi ; il lit *La Nouvelle Héloïse* de Rousseau et doit patienter de longues semaines avant de rejoindre le littoral. Bon élève, mais indiscipliné, il est renvoyé suite à une plaisanterie douteuse.

864

L'adolescent est sur la plage, des appels à l'aide lui parviennent. Courageusement, ce bon nageur unit ses efforts à ceux des marins portés au secours de l'inconnu en perdition, un Anglais, le célèbre poète A. C. Swinburne. Reconnaissant, il invite Guy à lui rendre visite dans la maison qu'il occupe avec son ami et compatriote Powel.

Terrorisé, Guy remarque une main d'écorché arrachée à un malfaiteur ; Swinburne la lui offre, elle inspirera le conte fantastique, *La Main*.

l'école de Croisset

868

Maupassant est pensionnaire dans un lycée de Rouen, il fréquente le poète rouennais Louis Bouilhet qui, chaque dimanche, l'accompagne à Croisset, chez Gustave Flaubert. Le romancier apprécie la présence de ce jeune homme qui lui soumet ses premiers textes et lui demande conseil.

Bouilhet, bibliothécaire de la ville, lui fait lire Hugo, Gautier

et Laclos. C'est « l'école de Croisset », celle que Guy fré
quente librement dans l'intimité d'un maître qu'il se choisi
et qui l'adopte, ce qui est de bon augure si l'on considère l
caractère exigeant de Flaubert.

1869

Bachelier, Guy de Maupassant se destine à des études de droit
il est profondément affecté par la mort de Louis Bouilhet.

Une vision pessimiste du monde

1870

La guerre franco-prussienne est déclarée. Engagé volontair
Maupassant rejoint l'Intendance à Rouen. Ce conflit lu
donne une vision particulièrement pessimiste du monde, un
impression marquante nourrie de la haine des militaires, d
chagrin et de sentiment de néant. En revanche, il admire
patriotisme des paysans normands dont le Père Milon e
l'exemple dans la nouvelle éponyme.

1871

Libéré.

1872

Fonctionnaire au ministère de la Marine pour six ans, il s'er
nuie de nouveau. L'univers des ronds-de-cuir est une socié
trop mesquine selon lui. Pour s'en défaire, il écrit ses premièr
nouvelles, mais ne semble vivre vraiment que le dimanch
partagé entre les visites à Flaubert et les parties de canotage.
Flaubert guide son cadet dans la voie de la littérature, l
apprend la patience, éprouve sa maturité d'écrivain, le fa
travailler pendant sept ans, lui enjoignant sans cesse c
remettre, à la manière de Boileau, son ouvrage sur le métie
Grâce à Flaubert qui décèle son talent et le considère comm
un fils, Maupassant fréquente les romanciers les plus impo
tants du siècle, les frères Goncourt, Alphonse Daudet,
russe Yvan Tourgueniev et Zola, qu'il admire sans adhér
– par rejet des écoles – au naturalisme.
De ses navigations sur les yoles, Maupassant écrit : « M

grande, *ma* seule, mon absorbante passion pendant dix ans, ce fut la Seine. » À Chatou, au cabaret La Grenouillère, on s'adonne au vin blanc dans « une odeur d'amour », le french-cancan fait fureur, les folles soirées s'achèvent dans les gargotes, et toute cette ambiance inspire les peintres, Manet et Renoir. De cette époque date l'attirance de Guy pour les femmes légères et les prostituées ; il contracte la syphilis.

1875

Maupassant publie *La Main d'écorché* sous le pseudonyme de Joseph Prunier.

Les années créatrices

1876

En canot est accepté par *Le Bulletin français* ; ce conte deviendra *Sur l'eau* et sera intégré au recueil *Boule-de-Suif*.

1877

Premières manifestations de la syphilis.

1878

Fonctionnaire au ministère de l'Instruction publique (Éducation nationale), des troubles de la vision affectent Maupassant.

1879

Voyage en Bretagne, puis à Jersey.

1880

Publie *Boule-de-Suif*, qualifiée de chef-d'œuvre par Flaubert ; elle lui apporte la célébrité. La nouvelle paraît dans un livre collectif d'écrivains naturalistes, *Les Soirées de Médan* ; l'ensemble a pour thème la guerre de 70 et la débâcle française. De Zola, on y lit *L'Attaque du moulin*, de Huysmans, *Sac au dos*. Maupassant est engagé par le journal *Le Gaulois* ; il met fin à sa carrière de fonctionnaire.

En mai, mort de Gustave Flaubert ; Guy se sent orphelin, vaincu par cette disparition. Assailli par de violentes migraines, gêné par ses troubles oculaires, il voyage dans le sud de la France et en Corse.

1881

La Maison Tellier. Reportage en Algérie.

1882

Publication de *La Maison Tellier*.

1883

Écrit *La Peur*, publie dans la presse trois contes fantastiques en avril, *Apparition*, en juillet *Lui ?*, en décembre, *La Main*. Sortie d'un roman, *Une vie*, en feuilleton dans le *Gil Blas*, dont les thèmes sont le mariage malheureux et l'obsession de la bâtardise. Parution d'un recueil, *Les Contes de la bécasse*.
Mort de Tourgueniev, qui avait commencé à traduire Maupassant en russe. Il vit dans l'aisance matérielle, fait construire une villa à Étretat, séjourne à Cannes, emploie un valet, François Tassart.

1884

Trois livres de contes paraissent, *Miss Harriet*, *Les Sœurs Rondoli*, *Clair de lune*.
Trois contes fantastiques sortent cette année. En mai, *La Chevelure* ; en juillet, *La Peur*, en septembre, *Un fou ?*
Maupassant suit les cours du docteur Charcot à l'hôpital parisien de la Salpêtrière ; à la même époque, Freud est l'élève de Charcot.

1885

Maupassant publie *Les Contes du jour et de la nuit*, *Bel-Ami*. Ce roman est une satire de l'arrivisme. Maupassant lit *Germinal*, voyage en Italie, achète grâce à ses droits d'auteur un yacht baptisé le *Bel-Ami*, croise en Méditerranée, passe l'été à Chatelguyon.

1886

Le Horla première version est publié dans le *Gil Blas*. Nouveau séjour à Chatelguyon.

1887

Seconde version du *Horla* en librairie. Un roman, *Mont-Oriol*, s'inspire des cures thermales de Chatelguyon. À bord d'un ballon nommé le *Horla*, voyage de Paris en Hollande, puis voyages en Algérie et en Tunisie pour quatre mois. Sous l'effet de la morphine, Guy est victime d'hallucinations et de schizophrénie, sa personnalité se dédouble, se fragmente.

1888

Nouveau roman, *Pierre et Jean* ; un récit de voyages, *Sur l'eau*.

1889

Hervé est interné une seconde fois ; Guy publie un roman, *Fort comme la mort*, dans lequel il introduit le thème du suicide. Le conte intitulé *L'Endormeuse* interroge la meilleure façon de se donner la mort. Acquisition d'un nouveau voilier, le *Bel-Ami II*.

1890

Dernier roman, *Notre cœur*. Un récit de voyages, un recueil de contes sortent, *L'Écho de Paris* publie *Qui sait ?* De plus en plus pessimiste, sous l'influence des lectures de Schopenhauer, « le plus grand saccageur de rêves qui ait passé sur la terre », Guy de Maupassant subit d'insupportables souffrances et ne distingue plus guère l'hallucination de la réalité.

1891

Les maux l'empêchent d'écrire, il tente de trouver un apaisement en se rendant à Nice, près de sa mère. Il rédige son testament.

1892

De retour à Paris, il tente de se suicider en janvier ; son valet le désarme à temps. Vaincu par le délire et la paralysie, Maupassant est interné à Passy, dans la clinique du docteur Blanche.

1893

Le 6 juillet, mort de Maupassant, enterrement au cimetière du Montparnasse (Paris). Ses parents lui survivent, son père jusqu'en 1899, sa mère jusqu'en 1904.

CONTEXTES

Le cadre historique, politique et idéologique
Le règne de l'argent

En France, la littérature du XIXe siècle brosse de nombreux portraits de Juifs parvenus au sommet de l'entreprise capitaliste ; c'est le cas de Nucingen chez Balzac, de Busch chez Zola, du Walter de *Bel-Ami*, de l'Andermatt de *Mont-Oriol*. Bien que fréquentant des amis juifs, Maupassant n'est guère complaisant pour ceux qu'il fait entrer dans ses livres ; Walter, directeur de *La Vie française*, se montre avare et s'entend à tirer profit de l'exploitation coloniale, Andermatt et Christiane « sont de races trop dissemblables ». L'influence israélite est incontestable ; elle s'exerce notamment dans la sphère de la banque et dans les milieux de la presse, le quatrième pouvoir dont les échos marquent l'opinion, les campagnes font et défont les élections, une presse attelée à la politique et à la finance.

Jean-Louis Bory remarque que la lutte opposant la banque Rothschild et l'Union générale n'est qu'une variante des guerres de religion. Les capitalistes spéculent, Guizot lance un nouveau mot d'ordre : « Enrichissez-vous ! » et l'aristocratie s'efface devant le demi-monde de *Swann*. L'argent est le moteur de la seconde moitié du XIXe siècle et Maupassant le rencontre partout, à Paris, bien sûr, mais aussi à Chatelguyon et même à Cannes, où il retrouve la même société, la même classe en train d'asseoir sa fortune. Lui-même est un homme d'affaires redoutable, il n'est qu'à voir la manière dont il traite avec ses éditeurs.

La Troisième République a beau chanter *Le Temps des cerises*, l'or monte, la bourse fleurit et les scandales éclatent, Panama par exemple. Symbole de l'industrie naissante, la tour Eiffel : triomphe de l'ingénieur sur l'architecte. Contre le hideux monument aux poutres de fer, Maupassant signe avec Gounod, Coppée et Leconte de Lisle un manifeste condamnant « le squelette disgracieux dont la base semble faite pour porter un formidable monument de cyclope et qui avorte en un ridicule et mince profil de cheminée d'usine. » On dit que Maupassant quitte Paris en partie pour réagir contre cette tour Eiffel dont la laideur l'insupporte.

Les aléas de la vie politique

À Paris, le prince Pierre Bonaparte tire sur le journaliste Victor Noir et l'atteint mortellement ; le 12 janvier 1870, jour des obsèques, la foule manifeste et Bonaparte est acquitté. Le 8 mai 1870, le gouvernement organise un plébiscite sur ses réformes. Paris conteste la politique de Napoléon III, un million cinq cent mille votants se disent mécontents de son action. À Berlin, Bismarck veut en découdre avec la France, des propos injurieux suscitent la colère des Français, le 16 juillet, ils déclarent la guerre et Maupassant s'engage volontairement. L'Alsace est rapidement envahie, l'armée française essuie de graves revers, Napoléon III est fait prisonnier, Paris proclame la République sur le parvis de l'Hôtel de Ville ; en janvier 1871, la capitale est attaquée à son tour, elle ne résistera que vingt-trois jours. Thiers abandonne l'Alsace-Lorraine à l'administration allemande et verse une indemnité de cinq milliards de francs.

De 1873 à 1879, Mac-Mahon instaure un gouvernement dit d'Ordre moral et Maupassant fustige « l'imbécillité solennelle de ce crétin » et vitupère dans une lettre du 10 décembre 1877 : « Je demande la suppression des classes dirigeantes ; de ce ramassis de beaux messieurs stupides qui batifolent dans les jupes de cette vieille traînée dévote et bête qu'on appelle bonne société. Ils fourrent le doigt dans son vieux… en murmurant que la société est en péril, que la liberté de penser les menace. » En 1881, Gambetta prend la présidence du Conseil, l'Union générale s'effondre l'année suivante, l'Allemagne, l'Autriche et l'Italie s'unissent au sein de la Triple Alliance. Grévy président de la République, Jules Ferry devient ministre de l'Instruction publique ; le premier doit démissionner en 1887 sous l'effet d'un scandale, son gendre Wilson vend… les

Légions d'honneur à qui mieux mieux ! Sadi Carnot lui succède et le général Boulanger s'agite dans son opposition au régime parlementaire ; bonapartistes et monarchistes lui emboîtent le pas.

De ce panorama politique guère reluisant, Guy de Maupassant peut écrire : « Quand on voit de près le suffrage universel et les gens qu'il nous donne, on a envie de mitrailler le peuple et de guillotiner ses représentants. » Flaubert partage la même opinion.

L'empire colonial

Cette époque voit la Tunisie passer sous protectorat français à la faveur d'une expédition militaire, les guerres du Tonkin et de Madagascar, bombardée par les Français en 1883, une opposition à la politique coloniale dont Maupassant est l'un des représentants. La France rivalise avec les autres pays d'Europe dans la course à l'industrialisation ; il lui faut trouver de nouvelles ressources, en d'autres termes, exploiter de nouveaux gisements de matières premières.

En juillet 1881, Maupassant part comme reporter au Maghreb pour le compte du *Gaulois* ; le Sud oranais s'est soulevé contre l'empire français. Le voyage est l'occasion d'une prise de conscience et Guy s'interroge : « L'indigène se révolte, dites-vous. Mais est-il vrai qu'on l'exproprie et qu'on lui paie ses terres au centième de ce qu'elles valent ? » Le chroniqueur oscille : les terres ne seront-elles pas mieux exploitées par les colons que par les Arabes ? De l'autre point de vue, les expéditions guerrières sont-elles excusables ?

Est-il excusable, le mécanisme financier mis en branle contre la Tunisie ? Sous le Second Empire, le bey de Tunis avait contracté un emprunt auprès de la banque Erlanger, laquelle lui avait imposé un taux d'intérêt si fort qu'il ne put s'acquitter de sa dette. La France avait alors envoyé une commission chargée d'encaisser les revenus du pays, au profit exclusif de la métropole, « Vols de vautours : des commerçants marseillais achètent des hectares par milliers à des prix défiant en effet ! toute concurrence ; implantation des capitaux européens ; Italiens et Français se partagent les exploitations ferroviaires et portuaires. Sans que la Tunisie, bien sûr, puisse se délivrer de sa dette ! » (Jean-Louis Bory, préface de l'édition Folio de *Bel-Ami*).

« La balançoire guerrière », dit Maupassant, se met en route, le bey capitule et la France occupe la Tunisie en garantissant la dette dont les obligations préalablement rachetées par le milieu politico-financier parisien grimpent en bourse.

La collusion de la presse, de l'argent et du pouvoir

Le monde de la finance israélite s'allie à la noblesse française ; ils contractent souvent des mariages, une Rothschild épouse un duc de Gramont, une Ephrussi un Faucigny-Lucinge. Des femmes d'influence agissent dans les milieux politiques : Léonie Léon chez Gambetta, Juliette Adam auprès du Tout-Paris, Madame Renaud de l'Ariège dans le milieu républicain, Jeanne Thilda dans les cabinets ministériels. Journaliste au *Gil Blas* et au *Gaulois*, Guy de Maupassant est un observateur de tout premier plan, aussi entend-il ne jamais appartenir à aucun parti et rejette tout ensemble l'armée, la spéculation capitaliste et le suffrage universel.

Bel-Ami stigmatise cette faune affamée de finance, *Bel-Ami*, c'est avant tout l'arrivisme glorieux d'un imbécile, journaliste sans talent dans un organe de presse à la botte des pouvoirs en place. Georges Duroy planqué là est un ancien sous-officier de la Coloniale ; il se souvient avec fierté d'une expédition punitive meurtrière contre les Ouled-Alane et du butin qu'en lâche authentique, il a ramené sous l'uniforme.

VIE	ŒUVRES
1850 Le 5 août, naissance de Guy de Maupassant. **1856** Naissance de son frère, Hervé.	
1863-1868 Pensionnaire au séminaire d'Yvetot. **1868-1869** Bachelier. À Rouen, fréquente Louis Bouilhet et Gustave Flaubert. **1870** Mobilisé.	
1872 Fonctionnaire au ministère de la Marine. S'adonne au canotage.	
	1875 *La Main d'écorché* paraît dans *L'Almanach de Pont-à-Mousson* sous le pseudonyme de Joseph Prunier.

TABLEAU CHRONOLOGIQUE

ÉVÉNEMENTS CULTURELS ET ARTISTIQUES	ÉVÉNEMENTS HISTORIQUES ET POLITIQUES
1856 Flaubert, *Madame Bovary*. **1857** Baudelaire, *Les Fleurs du Mal*. Manifeste du *Réalisme* de Champfleury. **1862** Flaubert, *Salammbô*.	
1869 Flaubert, *L'Éducation sentimentale*.	
	1870 La France déclare la guerre à la Prusse. Napoléon III est fait prisonnier, la République est proclamée. **1871** Paris capitule. Thiers chef de l'Exécutif. Abandon de l'Alsace et de la Lorraine ; Thiers lance un emprunt pour la libération anticipée du pays. Commune de Paris.
	1873 Gouvernement d'Ordre moral de Mac-Mahon.
1874 Première exposition impressionniste.	
1877 Flaubert, les *Trois contes*.	**1877** Dissolution de l'Assemblée nationale. Mac-Mahon conserve la présidence du Conseil.

VIE	ŒUVRES
1878 Fonctionnaire au ministère de l'Instruction publique. Premiers troubles. Contracte la syphilis.	
1880 Le 8 mai, mort de Flaubert.	**1880** *Boule-de-Suif.*
1881 Reporter en Afrique du Nord pour *Le Gaulois*.	**1881** *La Maison Tellier.*
	1882 *Mademoiselle Fifi.*
1883 François Tassart entre au service de Maupassant.	**1883** *Apparition. Lui ? La Main. Une vie. Contes de la bécasse.*
1884 Suit les cours de Charcot à la Salpêtrière.	**1884** *La Peur. Un fou ?*
1885 Voyage en Italie.	**1885** *Contes du jour et de la nuit. Bel-Ami.*
1886 Maladie.	**1886** Première version du *Horla*.
1887 Voyage en Algérie et Tunisie.	**1887** *Le Horla. Mont-Oriol.*
1888 Voyage en Méditerranée.	**1888** *Pierre et Jean.*
1889 Maladie d'Hervé.	**1889** *Fort comme la mort.*
1890 La paralysie gagne Maupassant.	**1890** *Qui sait ?*
1891 Séjourne à Nice auprès de sa mère.	
1892 Tentative de suicide. Internement.	
1893 Le 6 juillet, mort de l'écrivain.	

ÉVÉNEMENTS CULTURELS ET ARTISTIQUES	ÉVÉNEMENTS HISTORIQUES ET POLITIQUES
1879 Zola, *Nana*.	**1879** Mac-Mahon démissionne. Grévy président.
1880 *Les Soirées de Medan*. Schopenhauer est traduit en France.	
	1881 Gouvernement Gambetta.
1882 Huysmans, *À vau l'eau*.	**1882** Mort de Gambetta. Krach de l'Union générale. **1883** Ministère Jules Ferry. Guerre du Tonkin. Jules Grévy président.
1884 Huysmans, *À rebours*.	**1884** Guerre de Madagascar.
1885 Zola, *Germinal*.	**1885** Fin du ministère Jules Ferry. Madagascar sous protectorat français.
	1887 Scandale des décorations. Grévy démissionne. Sadi Carnot, président de la République. **1888** Boulangisme.
1889 Exposition universelle.	

GENÈSE
DE L'ŒUVRE

Les six contes de cet ouvrage ont tous été publiés dans les journaux de l'époque ; ils révèlent une vision de l'existence influencée par les maîtres à penser de Guy de Maupassant, Flaubert et Schopenhauer ; il n'est pas exclu que les symptômes ressentis par l'auteur en aient nourri l'écriture.

La tradition journalistique

Après les succès de *Boule-de-Suif* ou de *La Maison Tellier*, Maupassant vend ses textes le plus cher possible, dans le siècle qui rétribua largement ses écrivains, le XIXe siècle. N'oublions pas que Guy aide financièrement sa mère et participe au lancement de l'exploitation horticole de son frère Hervé. Peu à peu, la littérature lui permet de faire fortune et les journaux auxquels il collabore lui permettent d'asseoir formidablement sa renommée.

Les journaux publient à cette époque les romans d'auteurs reconnus, comme Balzac ou Alexandre Dumas père, sous forme de brefs chapitres : la mode est aux feuilletons suspendant l'action, puis la relançant le lendemain ; ils sont payés à « la pige », à la ligne, ils permettent l'édition ultérieure en librairie. On comprendra aisément que le conte, la nouvelle, qui sont des genres brefs, s'adaptent à cette forme de publication sur laquelle Gustave Flaubert appelle l'attention de son disciple.

Car Maupassant aime avant tout la prose, même s'il s'est longuement et sans convaincre essayé à la poésie ; un manuscrit en vers est détruit lors d'un incendie de sa chambre à Cannes ; il y voit un signe de renoncement définitif à la poésie. C'est donc sur recommandation de Flaubert aux directeurs que Guy peut écrire dans les quotidiens, c'est par le jeu des relations personnelles que leurs colonnes s'ouvrent à lui. Ainsi, en 1875, *L'Almanach lorrain de Pont-à-Mousson* accepte *La Main d'écorché* signée du pseudonyme Joseph Prunier. La feuille locale a pour patron le cousin de son ami Léon Fontaine...

Dès 1880, le conteur normand collabore régulièrement au *Gaulois* ; ses chroniques s'intitulent « Les Dimanches d'un bourgeois de Paris ». La presse, nous l'avons vu, offre une occasion en aval pour un prosateur de se faire connaître ; en amont, les faits divers inspirent Maupassant, *Apparition* reprend l'histoire d'une séquestration, *La Main*, celle d'un crime. Entre feuilletons et faits divers, les chroniques médicales également en vogue traitent de suicide et de folie ; huit contes de Maupassant mettent en scène des suicides.

Sur l'eau paraît sous le titre *En canot* en mars 1876 dans *Le Bulletin français* et en juin 1891 dans *L'Intransigeant illustré*, sous son titre définitif. *La Peur* est publiée dans *Le Gaulois* du 23 octobre 1882, *La Main* dans *Le Gaulois* du 23 décembre 1883, *Apparition* dans le même *Gaulois* du 4 avril 1883, *Lui ?* dans le *Gil Blas* du 3 juillet 1883, *Qui sait ?* dans *L'Écho de Paris* du 6 avril 1890.

Flaubert-Schopenhauer, maîtres du pessimisme

Qu'admire tellement Maupassant en Flaubert ? Sa lucidité sans aucun doute, sa misanthropie peut-être, l'aspect monacal de sa vie retirée, repliée sur l'essentiel – l'écriture, dans laquelle il a jeté ses années de maturité et ses forces. L'ours de Croisset a admis le jeune Guy dans sa retraite des bords de Seine ; l'aîné et le disciple sont deux géants normands dans l'ordre physique, tous deux partagent la même aversion de bon aloi pour le monde moderne et les politiciens, pour la bêtise si bien partagée et les idées reçues, bref, leur haine du bourgeois attise leurs ressentiments. Un même goût pour la farce hénaurme (sic) et la navigation amoureuse. Ce qu'il convient de lire, toutefois, en filigrane de l'humour manifesté par les deux hommes, c'est un pessimisme absolu, un regard lucide lancé à la mascarade sociale à laquelle ils ne consentiront jamais.

Sans Flaubert, quelle carrière Maupassant aurait-il menée ? C'est Flaubert en effet qui lui interdit de publier trop tôt. Flaubert encore qui lui permet à titre de privilège de partager les déjeuners de la rue Murillo en compagnie de Zola, Edmond de Goncourt et Tourgueniev, Flaubert qui simplement l'honore en lui accordant, jeune homme qui n'a encore rien écrit, son amitié. C'est Flaubert toujours qui pousse la porte du ministère de l'Instruction publique à la demande pressante de Laure et qui avec tact, fait comprendre à Guy qu'il n'est qu'un piètre poète, Flaubert à qui aucune faiblesse de style n'échappe. En 1880, Guy publie dans *La Revue moderne et naturaliste* son poème *Une fille*, qui lui vaut l'inculpation pour outrage à la moralité publique et religieuse et aux bonnes mœurs. Seule une critique de Flaubert acceptée par *Le Gaulois* pourrait infléchir la décision de la Cour. Malgré ses réticences à prendre publiquement position et devoir défendre une œuvre littéraire dans la presse populaire, l'auteur de *Madame Bovary* s'engage et l'affaire aboutit à un non-lieu.

C'est Flaubert enfin qui applaudit sans réserve à la lecture de *Boule-de-Suif* dans *Les Soirées de Medan*, prononçant à plusieurs reprises le mot de chef-d'œuvre. Nous sommes en février 1880, Guy est sacré écrivain et Gustave quitte la scène le 8 mai suivant.

Chez Schopenhauer, Maupassant est conquis par le nihilisme et le pessimisme. De Schopenhauer, il écrira dans *Auprès d'un mort* qu'il a « tué l'amour, abattu le culte idéal de la femme, crevé les illusions des cœurs, accompli la plus gigantesque besogne de sceptique qui ait jamais été faite. Il a tout traversé de sa moquerie, et tout vidé ».

Que dit Schopenhauer ? Selon lui, la volonté souffre et tout effort est une douleur, l'argent et la femme ; chimères quêtées inlassablement, l'homme, l'homme ne comprend-il donc pas qu'elles sont contraires à son bonheur ? Edme Caro, dans *Le Pessimisme au XIXᵉ siècle : Léopardi, Schopenhauer, Hartmann* (Paris, Hachette, 1878), résume la philosophie du grand Allemand. Le bilan de la vie ? Un déficit énorme de plaisir. La banqueroute de la nature.

Schopenhauer démontre que l'existence est néant, impose la solitude en exergue de vie, reproche à Dieu sa création, stigmatise la sottise des femmes et pose l'équation espérance = zéro. Résigné, àquoibonniste, il s'ennuie dans les quartiers du spleen baudelairien dont Maupassant partage les affres ;

à vingt-cinq ans, Maupassant donne en titre à un projet de conte, *Ce n'est pas gai*.

Huysmans est dans la même mouvance d'esprit et publie *À rebours* en 1884. Son héros décadent, des Esseintes cultive les orchidées, tend son salon de velours noir et cultive les plaisirs les plus subtils. Il lit Poe et *Le Démon de la perversité*, il subit « l'influence dépressive de la peur qui agit sur la volonté... analysant les effets de ce poison moral, indiquant les symptômes de sa marche, les troubles commençant avec l'anxiété, se continuant par l'angoisse, éclatant enfin dans la terreur qui stupéfie les volitions, sans que l'intelligence, bien qu'ébranlée, fléchisse ». Des Esseintes connaît « les monstrueuses hallucinations qu'engendrent la douleur et la fatigue » (*À rebours*, Gallimard, coll. « Folio », n° 898, 1977, page 321).

Le processus psychique ici décrit par Huysmans est exactement le même que celui traversé par les personnages de *La Peur*, d'*Apparition*, de *Qui sait ?*, de tous les personnages des contes fantastiques de Guy de Maupassant ; ce sont des symptômes qu'il connaît malheureusement trop bien.

1882-1891 : les années symptômes

Maupassant est malade, abuse d'éther pour combattre ses névralgies, s'accoutume à la morphine et au haschisch dont les deux effets sont d'endormir ses maux et de l'inspirer. Halluciné, il combat contre son double, vit ses symptômes avant de les coucher sur le papier où il finit – provisoirement – par les terrasser. Bientôt ils se vengeront de lui. On peut qualifier les années 1882-1891 d'années symptômes, retrouver le tableau clinique qui va finir par l'emporter. En 1876, Guy se plaint de maux d'estomac et de troubles cardiaques que la médecine ne guérit pas, se contentant de diagnostiquer un empoisonnement par la nicotine. Deux ans plus tard apparaissent les névralgies et les troubles oculaires ; en 1880, il écrit à Flaubert qu'il ne voit plus rien de l'œil droit, d'où sa préférence pour la nuit. Une lettre à sa mère datée de janvier 1881 note : « Mon cerveau fonctionne, lucide, exact », il commence à perdre la mémoire et la notion

du moi et confie à Bourget : « Une fois sur deux, en rentra
chez moi, je vois mon double. J'ouvre ma porte, et je me v
assis sur mon fauteuil. Je sais que c'est une hallucination a
moment même où je l'ai ; est-ce curieux ? » (cité par Pa
Morand in *Vie de Guy de Maupassant*, Pygmalion Géra
Watelet, Paris, 1998, page 208).

Maynial écrit : « La peur est entrée en lui, elle le possède,
le retient dans une sorte d'enchantement pervers. Elle e
maîtresse des sensations violentes où il se complaît, par
qu'elles sont nécessaires à ses nerfs épuisés » (d'après Pa
Morand, pp. 208-209), Morand décide, « Il ne se conten
pas d'avoir peur, il cherche à avoir peur. »

Maupassant est encore le premier observateur de sa malad
selon Maynial, *Lui ?* (1883), *Le Horla* (1886), *Qui sai*
(1890) forment les trois moments d'un graphique d'u
maladie, de l'autoscopie (dédoublement) à la démence.

Avant, nous trouvons *Boule-de-Suif*, écrite probablemen
la période d'une syphilis contractée et marquée par les ho
reurs de la débâcle de 1870. *Mademoiselle Fifi* (1882), *Sa*
Antoine et Walter Schnaps (avril 1883), *La Peur* (1882)
les trois contes fantastiques *Apparition, Lui ?, La Ma*
(1883), *La Peur*, encore et *Un fou ?* (1884) corresponden
la période préparalytique latente de l'auteur, la pério
majeure de sa production, des *Contes de la bécasse*, du *Jo*
et de la nuit, de *Bel-Ami* et de *Mont-Oriol*, du *Horla* et
Fort comme la mort, de *Qui sait ?*, enfin.

Les trois dernières années (1890-1893) sont celles de
période paralytique aiguë, et Maupassant n'écrit pratiqu
ment plus rien.

Sans vouloir à tout prix y apporter une conclusion cliniqu
on peut poser la question de l'hérédité de l'écrivain no
mand, à l'appui, une lettre du 23 novembre de Flauber
Maupassant, suggérant que l'on fasse entrer Laure sa mè
dans une maison de santé. Par une lettre du 29 mars 1892
Monsieur Jacob, Gustave de Maupassant décrit sa fem
furieuse, divaguant, tentant de se suicider en s'étrangla
avec sa chevelure.

Un souvenir préside à tout cela, le sauvetage du poète Swinburne à Étretat, dont *La Main*, puis *L'Anglais d'Étretat* (1882) font mémoire. C'était un matin vers dix heures, des marins arrivèrent en criant que quelqu'un se noyait sous la porte d'Amont, « ils prirent un bateau et je les accompagnai. Ce nageur, ignorant le terrible courant de marée qui passe sous cette arcade avait été entraîné… puis recueilli ».

Swinburne a bien failli y laisser la vie, l'adolescent est marqué par cet homme maigre et surprenant, « une sorte d'apparition fantastique. C'est alors que j'ai pensé, en le regardant la première fois, à Edgar Poe ». Ce personnage « presque surnaturel » parcouru de secousses nerveuses ne quitte plus ses pensées. Descendu chez Powel, Swinburne invite son bienfaiteur ; les deux Anglais vivent avec un singe à la chaumière de Dolmancé, leur homosexualité gêne Guy, qui contient mal son malaise quand au déjeuner on lui sert un rôti de singe cuisiné à la broche. Il décide de ne pas revoir le couple, il a cependant le temps de remarquer l'anormalité dans laquelle ils baignent : « Les opinions des deux amis jetaient sur les choses une espèce de lueur tremblotante, macabre, car ils avaient une manière de voir et de comprendre qui me les montrait comme des visionnaires malades, ivres de poésie perverse et magique. Des ossements traînaient sur les tables, parmi eux une main d'écorché, celle d'un parricide, paraît-il, dont le sang et les muscles séchés restaient collés sur les os blancs. » Rencontre avec « deux vrais héros du Vieux (Sade) » selon le mot de Goncourt (*Journal*, 28 février 1875), hérédité, école de Flaubert et lecture de Schopenhauer, ravages sournois de la maladie semblent bien être à l'origine de l'écriture fantastique et de la vision du monde de Maupassant.

Guy de Maupassant

La Peur
et autres contes fantastiques

GUY DE MAUPASSANT

*contes fantastiques
écrits entre 1876 et 1890*

Sur l'eau. *Gravure de G. Lemoine (fin du* XIXe *siècle)*
d'après un dessin de Lelong, 1899.
Bibliothèque municipale de Rouen.

SUR L'EAU

J'AVAIS LOUÉ, l'été dernier, une petite maison de campagne au bord de la Seine, à plusieurs lieues[1] de Paris, et j'allais y coucher tous les soirs. Je fis, au bout de quelques jours, la connaissance d'un de mes voisins, un homme de trente à qua-
5 rante ans, qui était bien le type[2] le plus curieux que j'eusse jamais vu. C'était un vieux canotier[3], mais un canotier enragé, toujours près de l'eau, toujours sur l'eau, toujours dans l'eau. Il devait être né dans un canot, et il mourra bien certainement dans le canotage final.
10   Un soir que nous nous promenions au bord de la Seine, je lui demandai de me raconter quelques anecdotes de sa vie nautique. Voilà immédiatement mon bonhomme qui s'anime, se transfigure, devient éloquent, presque poète. Il avait dans le cœur une grande passion, une passion dévorante, irrésis-
15 tible : la rivière.

« Ah ! me dit-il, combien j'ai de souvenirs sur cette rivière que vous voyez couler là près de nous ! Vous autres, habitants des rues, vous ne savez pas ce qu'est la rivière. Mais écoutez un pêcheur prononcer ce mot. Pour lui, c'est la chose
20 mystérieuse, profonde, inconnue, le pays des mirages et des fantasmagories[4], où l'on voit, la nuit, des choses qui ne sont pas, où l'on entend des bruits que l'on ne connaît point, où

---

1. **Lieue** : ancienne unité de distance, égale à quatre kilomètres. Voir *Le Chat botté* et ses bottes de sept lieues.
2. **Type** : différent du sens moderne, le mot est synonyme de genre, sorte d'homme, ici.
3. **Canotier** : qui pratique le canotage, la navigation à rames, très en vogue au XIXe siècle.
4. **Fantasmagorie** : du grec *phantasma*, fantôme. Spectacle fantastique, surnaturel. Le mot est courant chez les auteurs du XIXe siècle, Pierre Loti par exemple.

l'on tremble sans savoir pourquoi, comme en traversant
cimetière : et c'est en effet le plus sinistre des cimetières, ce
25 où l'on n'a point de tombeau.

La terre est bornée pour le pêcheur, et dans l'ombre, qua
il n'y a pas de lune, la rivière est illimitée. Un marin n'éprou
point la même chose pour la mer. Elle est souvent dure
méchante, c'est vrai, mais elle crie, elle hurle, elle est loya
30 la grande mer ; tandis que la rivière est silencieuse et perfi
Elle ne gronde pas, elle coule toujours sans bruit, et ce mo
vement éternel de l'eau qui coule est plus effrayant pour m
que les hautes vagues de l'océan.

Des rêveurs prétendent que la mer cache dans son se
35 d'immenses pays bleuâtres, où les noyés roulent parmi
grands poissons, au milieu d'étranges forêts et dans c
grottes de cristal. La rivière n'a que des profondeurs noi
où l'on pourrit dans la vase. Elle est belle pourtant qua
elle brille au soleil levant et qu'elle clapote doucement en
40 ses berges couvertes de roseaux qui murmurent.

Le poète a dit en parlant de l'océan :

Ô flots, que vous savez de lugubres histoires !
Flots profonds, redoutés des mères à genoux,
Vous vous les racontez en montant les marées
45 *Et c'est ce qui vous fait ces voix désespérées*
Que vous avez, le soir, quand vous venez vers nous[1].

Eh bien, je crois que les histoires chuchotées par
roseaux minces avec leurs petites voix si douces doivent ê
encore plus sinistres que les drames lugubres racontés par
50 hurlements des vagues.

Mais puisque vous me demandez quelques-uns de mes se
venirs, je vais vous dire une singulière aventure qui m'
arrivée ici, il y a une dizaine d'années.

J'habitais, comme aujourd'hui, la maison de la mère Laf

---

1. **Ô flots... vers nous :** vers extraits du poème de Victor Hugo « Oce
Nox », nuit océane ; il évoque ceux qui périssent en mer.

et un de mes meilleurs camarades, Louis Bernet, qui a maintenant renoncé au canotage, à ses pompes et à son débraillé[1] pour entrer au Conseil d'État[2], était installé au village de C..., deux lieues plus bas. Nous dînions tous les jours ensemble, tantôt chez lui, tantôt chez moi.

Un soir, comme je revenais tout seul et assez fatigué, traînant péniblement mon gros bateau, un *océan* de douze pieds[3], dont je me servais toujours la nuit, je m'arrêtai quelques secondes pour reprendre haleine auprès de la pointe des roseaux, là-bas, deux cents mètres environ avant le pont du chemin de fer. Il faisait un temps magnifique ; la lune resplendissait, le fleuve brillait, l'air était calme et doux. Cette tranquillité me tenta ; je me dis qu'il ferait bien bon fumer une pipe en cet endroit. L'action suivit la pensée ; je saisis mon ancre et la jetai dans la rivière.

Le canot, qui redescendait avec le courant, fila sa chaîne jusqu'au bout[4], puis s'arrêta ; et je m'assis à l'arrière sur ma peau de mouton, aussi commodément qu'il me fut possible. On n'entendait rien, rien : parfois seulement, je croyais saisir un petit clapotement presque insensible de l'eau contre la rive, et j'apercevais des groupes de roseaux plus élevés qui prenaient des figures surprenantes et semblaient par moments s'agiter.

Le fleuve était parfaitement tranquille, mais je me sentis ému par le silence extraordinaire qui m'entourait. Toutes les bêtes, grenouilles et crapauds, ces chanteurs nocturnes des marécages, se taisaient. Soudain, à ma droite, contre moi, une

---

1. **À ses pompes et à son débraillé** : contraste, les pompes signifient l'élégance, le luxe, le débraillé renvoie au comportement négligé, sans aucune retenue. Les riches canotiers venaient le dimanche à la campagne prendre les habitudes du bas-peuple.
2. **Conseil d'État** : la plus haute instance de l'État, le tribunal administratif suprême en France.
3. **Un océan de douze pieds** : un voilier de quatre mètres.
4. **Fila sa chaîne jusqu'au bout** : déroula entièrement sa chaîne jusqu'à ce que l'ancre immobilise le canot.

grenouille coassa. Je tressaillis : elle se tut ; je n'entendis pl
rien, et je résolus de fumer un peu pour me distraire. Cepe
dant, quoique je fusse un culotteur de pipes[1] renommé,
85 ne pus pas ; dès la seconde bouffée, le cœur me tourna et
cessai. Je me mis à chantonner ; le son de ma voix m'éta
pénible ; alors, je m'étendis au fond du bateau et je regard
le ciel. Pendant quelque temps, je demeurai tranquille, ma
bientôt les légers mouvements de la barque m'inquiétèrent
90 me sembla qu'elle faisait des embardées[2] gigantesques, to
chant tour à tour les deux berges du fleuve ; puis je cr
qu'un être ou qu'une force invisible l'attirait doucement
fond de l'eau et la soulevait ensuite pour la laisser retomb
J'étais ballotté comme au milieu d'une tempête ; j'entend
95 des bruits autour de moi ; je me dressai d'un bond : l'e
brillait, tout était calme.

Je compris que j'avais les nerfs un peu ébranlés et je réso
de m'en aller. Je tirai sur ma chaîne ; le canot se mit en mo
vement, puis je sentis une résistance, je tirai plus fort, l'an
100 ne vint pas ; elle avait accroché quelque chose au fond
l'eau et je ne pouvais la soulever ; je recommençai à tir
mais inutilement. Alors, avec mes avirons, je fis tourner m
bateau et je le portai en amont[3] pour changer la position
l'ancre. Ce fut en vain, elle tenait toujours ; je fus pris
105 colère et je secouai la chaîne rageusement. Rien ne remua.
m'assis découragé et je me mis à réfléchir sur ma position.
ne pouvais songer à casser cette chaîne ni à la séparer
l'embarcation, car elle était énorme et rivée[4] à l'avant d
un morceau de bois plus gros que mon bras ; mais com

---

1. **Culotteur de pipes :** se dit d'un fumeur dont le fourneau de la pipe s
recouvert intérieurement d'une épaisseur noire, à force de la fumer (de cu
fond). L'expression désigne donc un grand fumeur de pipes.
2. **Embardées :** brusques mouvements d'un bateau sous l'effet d'un coup
vent ou d'un coup de barre maladroit.
3. **Amont :** partie d'un cours d'eau comprise entre un point et sa source.
4. **Rivée :** métaphore du bateau attaché à la rive, ici, attachée solidement
une pièce métallique.

10 le temps demeurait fort beau, je pensai que je ne tarderais
point, sans doute, à rencontrer quelque pêcheur qui viendrait
à mon secours. Ma mésaventure m'avait calmé ; je m'assis et
je pus enfin fumer ma pipe. Je possédais une bouteille de
rhum, j'en bus deux ou trois verres, et ma situation me fit
15 rire. Il faisait très chaud, de sorte qu'à la rigueur je pouvais,
sans grand mal, passer la nuit à la belle étoile.

Soudain, un petit coup sonna contre mon bordage[1]. Je fis
un soubresaut, et une sueur froide me glaça des pieds à la
tête. Ce bruit venait sans doute de quelque bout de bois
20 entraîné par le courant, mais cela avait suffi et je me sentis
envahi de nouveau par une étrange agitation nerveuse. Je saisis ma chaîne et je me raidis dans un effort désespéré. L'ancre
tint bon. Je me rassis épuisé.

Cependant, la rivière s'était peu à peu couverte d'un brouil-
25 lard blanc très épais qui rampait sur l'eau fort bas, de sorte
que, en me dressant debout, je ne voyais plus le fleuve, ni
mes pieds, ni mon bateau, mais j'apercevais seulement les
pointes des roseaux, puis, plus loin, la plaine toute pâle de
la lumière de la lune, avec de grandes taches noires qui mon-
30 taient dans le ciel, formées par des groupes de peupliers
d'Italie. J'étais comme enseveli jusqu'à la ceinture dans une
nappe de coton d'une blancheur singulière, et il me venait des
imaginations fantastiques. Je me figurais qu'on essayait de
monter dans ma barque que je ne pouvais plus distinguer, et
35 que la rivière, cachée par ce brouillard opaque, devait être
pleine d'êtres étranges qui nageaient autour de moi. J'éprouvais un malaise horrible, j'avais les tempes serrées, mon cœur
battait à m'étouffer ; et, perdant la tête, je pensai à me sauver
à la nage ; puis aussitôt cette idée me fit frissonner d'épou-
40 vante. Je me vis perdu, allant à l'aventure dans cette brume
épaisse, me débattant au milieu des herbes et des roseaux que
je ne pourrais éviter, râlant de peur, ne voyant pas la berge,

---

1. **Bordage** : planches recouvrant la quille d'un navire.

ne retrouvant plus mon bateau, et il me semblait que je r
sentirais tiré par les pieds tout au fond de cette eau noire.

145 En effet, comme il m'eût fallu[1] remonter le courant a
moins pendant cinq cents mètres avant de trouver un poi
libre d'herbes et de joncs où je pusse prendre pied, il y ava
pour moi neuf chances sur dix de ne pouvoir me diriger da
ce brouillard et de me noyer, quelque bon nageur que je fus

150 J'essayai de me raisonner. Je me sentais la volonté bi
ferme de ne point avoir peur, mais il y avait en moi au
chose que ma volonté, et cette autre chose avait peur. Je r
demandai ce que je pouvais redouter ; mon *moi* brave rai
mon *moi* poltron[2], et jamais aussi bien que ce jour-là je

155 saisis l'opposition des deux êtres qui sont en nous, l'un vc
lant, l'autre résistant, et chacun l'emportant tour à tour.

Cet effroi bête et inexplicable grandissait toujours et de
nait de la terreur. Je demeurais immobile, les yeux ouver
l'oreille tendue et attendant. Quoi ? Je n'en savais rien, m

160 ce devait être terrible. Je crois que si un poisson se fût av
de sauter hors de l'eau, comme cela arrive souvent, il n'
aurait pas fallu davantage pour me faire tomber raide, sa
connaissance.

Cependant, par un effort violent, je finis par ressaisir à p

165 près ma raison qui m'échappait. Je pris de nouveau ma bc
teille de rhum et je bus à grands traits. Alors une idée
vint et je me mis à crier de toutes mes forces en me tourna
successivement vers les quatre points de l'horizon. Lorsc
mon gosier fut absolument paralysé, j'écoutai. — Un chi

170 hurlait, très loin.

Je bus encore et je m'étendis tout de mon long au fond
bateau. Je restai ainsi peut-être une heure, peut-être de
sans dormir, les yeux ouverts, avec des cauchemars autc
de moi. Je n'osais pas me lever et pourtant je le désirais v

175 lemment ; je remettais de minute en minute. Je me disa

---

1. **Comme il m'eût fallu** : irréel du passé = comme il m'aurait fallu.
2. **Poltron** : d'un mot italien, qui manque de courage, lâche.

« Allons, debout ! » et j'avais peur de faire un mouvement. À la fin, je me soulevai avec des précautions infinies, comme si ma vie eût dépendu du moindre bruit que j'aurais fait, et je regardai par-dessus le bord.

180   Je fus ébloui par le plus merveilleux, le plus étonnant spectacle qu'il soit possible de voir. C'était une de ces fantasmagories du pays des fées, une de ces visions racontées par les voyageurs qui reviennent de très loin et que nous écoutons sans les croire.

185   Le brouillard qui, deux heures auparavant, flottait sur l'eau, s'était peu à peu retiré et ramassé sur les rives. Laissant le fleuve absolument libre, il avait formé sur chaque berge une colline ininterrompue, haute de six ou sept mètres, qui brillait sous la lune avec l'éclat superbe des neiges. De sorte
190 qu'on ne voyait rien autre chose que cette rivière lamée de feu entre ces deux montagnes blanches ; et là-haut, sur ma tête, s'étalait, pleine et large, une grande lune illuminante au milieu d'un ciel bleuâtre et laiteux.

Toutes les bêtes de l'eau s'étaient réveillées ; les grenouilles
195 coassaient furieusement, tandis que, d'instant en instant, tantôt à droite, tantôt à gauche, j'entendais cette note courte, monotone et triste, que jette aux étoiles la voix cuivrée des crapauds. Chose étrange, je n'avais plus peur ; j'étais au milieu d'un paysage tellement extraordinaire[1] que les sin-
200 gularités les plus fortes n'eussent pu m'étonner.

Combien de temps cela dura-t-il, je n'en sais rien, car j'avais fini par m'assoupir. Quand je rouvris les yeux, la lune était couchée, le ciel plein de nuages. L'eau clapotait lugubrement, le vent soufflait, il faisait froid, l'obscurité était
205 profonde.

Je bus ce qui me restait de rhum, puis j'écoutai en grelottant le froissement des roseaux et le bruit sinistre de la rivière.

---

1. **Extraordinaire** : ne pas prendre au sens actuel, mais étymologiquement, qui sort de l'ordinaire et du sens commun, inexplicable, exceptionnel.

Je cherchai à voir, mais je ne pus distinguer mon bateau, ni mes mains elles-mêmes, que j'approchais de mes yeux.

210 Peu à peu, cependant, l'épaisseur du noir diminua. Soudain je crus sentir qu'une ombre glissait tout près de moi ; je poussai un cri, une voix répondit ; c'était un pêcheur. Je l'appelai, il s'approcha et je lui racontai ma mésaventure. Il mit alors son bateau bord à bord avec le mien, et tous les deux nous
215 tirâmes sur la chaîne. L'ancre ne remua pas. Le jour venait, sombre, gris, pluvieux, glacial, une de ces journées qui vous apportent des tristesses et des malheurs. J'aperçus une autre barque, nous la hélâmes[1]. L'homme qui la montait unit ses efforts aux nôtres ; alors, peu à peu, l'ancre céda. Elle mon-
220 tait, mais doucement, doucement, et chargée d'un poids considérable. Enfin nous aperçûmes une masse noire, et nous la tirâmes à mon bord :

C'était le cadavre d'une vieille femme qui avait une grosse pierre au cou. »

Conte paru pour la première fois sous le titre *En canot* en mars 1876 dans *Le Bulletin français*. *L'Intransigeant illustré* le publia sous son titre définitif le 26 juin 1891.

---

1. **Hélâmes :** appelâmes, d'une embarcation à une autre, à l'aide d'un porte-voix (de l'anglais *to hail*).

Repères

- Identifiez le narrateur des lignes 1 à 54.
- Est-ce lui qui va raconter l'histoire ? Dans la négative, qui est réellement le narrateur ?
- Précisez où commence le récit qui justifie le titre de ce conte.

Observation

- Qui parle ?
- Le narrateur est-il ou non un personnage du récit ? Justifiez votre réponse.
- Comment son discours est-il rapporté ?
- Relevez les indices du discours oral ; à quoi servent-ils ?
- Le narrateur s'adresse-t-il au lecteur ?
- Intervient-il directement pour commenter ce qu'il raconte ou emploie-t-il un vocabulaire connoté (voir outils de lecture) qui nous révèle son point de vue sur ce qu'il raconte ?
- Relevez et étudiez les expressions qui désignent le brouillard.
- Relevez les images poétiques du texte (voir outils de lecture) ; quel type d'images domine, pourquoi ?
- Où et quand la scène se déroule-t-elle ? Pouvez-vous évaluer précisément le temps de fiction (voir outils de lecture) ?
- Étudiez les temps grammaticaux : sur quel rythme la scène se déroule-t-elle ?
- Quelle est l'importance de la citation du poème de Victor Hugo ? Que peut-elle laisser présager ?
- Qu'est-ce qui caractérise le personnage principal (portrait, gestes, attitudes, etc.) ?

Interprétations

- À quelle activité le personnage, seul sur son bateau, se livre-t-il de manière répétée ?
- Quelle explication rationnelle cette remarque autorise-t-elle ?
- Montrez la progression de l'angoisse en vous appuyant sur des procédés précis d'écriture.
- À quoi tient la tonalité fantastique de ce conte (voir outils de lecture) ?

loin. Las
d'assister à
ces craintes imbéciles,
j'allais demander à me coucher, quand le vieux
garde tout à coup fit un bond de sa chaise, saisi de

La Peur. *Dessin de Luc Barbut figurant dans les* Contes choisis *de Maupassant. Recueil publié à la Librairie illustrée en 1886. B.N., Paris.*

LA PEUR

À J.-K. Huysmans[1]

ON REMONTA sur le pont après dîner. Devant nous, la Méditerranée n'avait pas un frisson sur toute sa surface qu'une grande lune calme moirait[2]. Le vaste bateau glissait, jetant sur le ciel, qui semblait ensemencé d'étoiles, un gros serpent
5 de fumée noire ; et, derrière nous, l'eau toute blanche, agitée par le passage rapide du lourd bâtiment, battue par l'hélice, moussait, semblait se tordre, remuait tant de clartés qu'on eût dit de la lumière de lune bouillonnant.

Nous étions là, six ou huit, silencieux, admirant, l'œil
10 tourné vers l'Afrique lointaine où nous allions. Le commandant, qui fumait un cigare au milieu de nous, reprit soudain la conversation du dîner.

« Oui, j'ai eu peur ce jour-là. Mon navire est resté six heures avec ce rocher dans le ventre, battu par la mer. Heu-
15 reusement que nous avons été recueillis, vers le soir, par un charbonnier[3] anglais qui nous aperçut. »

Alors un grand homme à figure brûlée, à l'aspect grave, un de ces hommes qu'on sent avoir traversé de longs pays inconnus, au milieu de dangers incessants, et dont l'œil tranquille
20 semble garder, dans sa profondeur, quelque chose des pay-

---

1. **Huysmans** (**Joris-Karl**) : romancier français (1848-1907), d'abord naturaliste sous l'influence de Zola, son livre *À Rebours* appartient à l'esthétique décadente, puis l'écrivain se convertit et ne se préoccupe plus que de son salut.
2. **Moirait** : changeait de reflet selon l'éclairage du moment, comme le tissu la moire.
3. **Charbonnier** : navire transportant du charbon.

sages étranges qu'il a vus ; un de ces hommes qu'on devine trempés dans le courage[1], parla pour la première fois :

« Vous dites, Commandant, que vous avez eu peur, je n'en crois rien. Vous vous trompez sur le mot et sur la sensation
25 que vous avez éprouvée. Un homme énergique n'a jamais peur en face du danger pressant. Il est ému, agité, anxieux ; mais la peur, c'est autre chose. »

Le commandant reprit en riant :

« Fichtre[2] ! je vous réponds bien que j'ai eu peur, moi. »
30 Alors l'homme au teint bronzé prononça d'une voix lente :

« Permettez-moi de m'expliquer ! La peur (et les hommes les plus hardis[3] peuvent avoir peur), c'est quelque chose d'effroyable, une sensation atroce[4], comme une décomposition de l'âme, un spasme[5] affreux de la pensée et du cœur,
35 dont le souvenir seul donne des frissons d'angoisse. Mais cela n'a lieu, quand on est brave, ni devant une attaque, ni devant la mort inévitable, ni devant toutes les formes connues du péril : cela a lieu dans certaines circonstances anormales, sous certaines influences mystérieuses en face de risques vagues.
40 La vraie peur, c'est quelque chose comme une réminiscence[6] des terreurs fantastiques[7] d'autrefois. Un homme qui croit aux revenants, et qui s'imagine apercevoir un spectre[8] dans la nuit, doit éprouver la peur en toute son épouvantable horreur.

---

1. **Trempés dans le courage** : métaphore, on trempe l'acier porté à une haute température dans un bain froid. Ici, endurcis, fortifiés dans le courage.
2. **Fichtre** : expression familière, interjection exprimant de l'admiration ou la contrariété et l'étonnement.
3. **Les hommes les plus hardis** : les plus audacieux, braves et courageux (de l'ancien français *hardir*, rendre dur).
4. **Atroce** : horrible, cruel, épouvantable.
5. **Spasme** : contraction violente des muscles, convulsion. Le terme est fréquent chez Maupassant.
6. **Réminiscence** : retour à la mémoire (auditive, olfactive) d'une image oubliée, non répertoriée parmi les souvenirs.
7. **Fantastiques** : créées par l'imagination, irréelles, imaginaires.
8. **Spectre** : apparition effrayante d'un mort, revenant.

45 Moi, j'ai deviné la peur en plein jour, il y a dix ans environ. Je l'ai ressentie, l'hiver dernier, par une nuit de décembre.

Et, pourtant, j'ai traversé bien des hasards, bien des aventures qui semblaient mortelles. Je me suis battu souvent. J'ai été laissé pour mort par des voleurs. J'ai été condamné,
50 comme insurgé [1], à être pendu, en Amérique, et jeté à la mer du pont d'un bâtiment [2] sur les côtes de Chine. Chaque fois je me suis cru perdu [3], j'en ai pris immédiatement mon parti, sans attendrissement et même sans regrets.

Mais la peur, ce n'est pas cela.

55 Je l'ai pressentie en Afrique. Et pourtant elle est fille du Nord ; le soleil la dissipe [4] comme un brouillard. Remarquez bien ceci, Messieurs. Chez les Orientaux, la vie ne compte pour rien ; on est résigné tout de suite ; les nuits sont claires et vides de légendes, les âmes aussi vides des inquiétudes
60 sombres qui hantent les cerveaux dans les pays froids. En Orient, on peut connaître la panique, on ignore la peur.

Eh bien, voici ce qui m'est arrivé sur cette terre d'Afrique :

Je traversais les grandes dunes au sud de Ouargla [5]. C'est là un des plus étranges pays du monde. Vous connaissez le
65 sable uni, le sable droit des interminables plages de l'Océan. Eh bien ! figurez-vous l'Océan lui-même devenu sable au milieu d'un ouragan ; imaginez une tempête silencieuse de vagues immobiles en poussière jaune. Elles sont hautes comme des montagnes, ces vagues inégales, différentes, sou-
70 levées tout à fait comme des flots déchaînés, mais plus grandes encore, et striées comme de la moire. Sur cette mer furieuse, muette et sans mouvement, le dévorant soleil du sud verse sa flamme implacable et directe. Il faut gravir ces

---

1. **Comme insurgé :** en tant qu'insurgé, révolté contre l'autorité.
2. **Bâtiment :** de bâtir, par extension, toute construction abritant des hommes, navire en l'occurrence.
3. **Perdu :** prêt à mourir.
4. **Le soleil la dissipe :** le soleil la fait disparaître, l'anéantit en la dispersant.
5. **Ouargla :** oasis du Sahara algérien.

lames[1] de cendre d'or, redescendre, gravir encore, gravir sans
75 cesse, sans repos et sans ombre. Les chevaux râlent[2],
enfoncent jusqu'aux genoux, et glissent en dévalant l'autre
versant des surprenantes collines.

Nous étions deux amis suivis de huit spahis[3] et de quatre
chameaux avec leurs chameliers. Nous ne parlions plus,
80 accablés de chaleur, de fatigue, et desséchés de soif comme
ce désert ardent[4]. Soudain un de ces hommes poussa une
sorte de cri ; tous s'arrêtèrent ; et nous demeurâmes immobiles, surpris par un inexplicable phénomène connu des voyageurs en ces contrées perdues.

85 Quelque part, près de nous, dans une direction indéterminée, un tambour battait, le mystérieux tambour des dunes ;
il battait distinctement, tantôt plus vibrant, tantôt affaibli,
arrêtant, puis reprenant son roulement fantastique.

Les Arabes, épouvantés, se regardaient ; et l'un dit, en sa
90 langue : "La mort est sur nous." Et voilà que tout à coup
mon compagnon, mon ami, presque mon frère, tomba de
cheval, la tête en avant, foudroyé par une insolation.

Et pendant deux heures, pendant que j'essayais en vain de
le sauver, toujours ce tambour insaisissable m'emplissait
95 l'oreille de son bruit monotone, intermittent et incompréhensible ; et je sentais se glisser dans mes os la peur, la vraie
peur, la hideuse peur, en face de ce cadavre aimé, dans ce
trou incendié par le soleil entre quatre monts de sable, tandis
que l'écho inconnu nous jetait, à deux cents lieues de tout
100 village français, le battement rapide du tambour.

Ce jour-là, je compris ce que c'était que d'avoir peur ; je
l'ai su mieux encore une autre fois... »

Le commandant interrompit le conteur :

---

1. **Lames :** vagues produites par le vent, amincies à leur sommet.
2. **Râlent :** respirent de manière rauque, comme des agonisants.
3. **Spahis :** cavaliers de l'armée française servant en Afrique, voir le roman de
Pierre Loti, *Mémoires d'un spahi*.
4. **Ardent :** qui brûle.

« Pardon, Monsieur, mais ce tambour ? Qu'était-ce ? »
105 Le voyageur répondit :

« Je n'en sais rien. Personne ne sait. Les officiers, surpris souvent par ce bruit singulier, l'attribuent généralement à l'écho grossi, multiplié, démesurément enflé par les vallonnements des dunes, d'une grêle de grains de sable emportés
110 dans le vent et heurtant une touffe d'herbes sèches ; car on a toujours remarqué que le phénomène se produit dans le voisinage de petites plantes brûlées par le soleil, et dures comme du parchemin.

Ce tambour ne serait donc qu'une sorte de mirage du son.
115 Voilà tout. Mais je n'ai appris cela que plus tard.

J'arrive à ma seconde émotion.

C'était l'hiver dernier, dans une forêt du nord-est de la France. La nuit vint deux heures plus tôt, tant le ciel était sombre. J'avais pour guide un paysan qui marchait à mon
120 côté, par un tout petit chemin, sous une voûte de sapins dont le vent déchaîné tirait des hurlements. Entre les cimes, je voyais courir des nuages en déroute, des nuages éperdus qui semblaient fuir devant une épouvante. Parfois, sous une immense rafale, toute la forêt s'inclinait dans le même sens
125 avec un gémissement de souffrance ; et le froid m'envahissait, malgré mon pas rapide et mon lourd vêtement.

Nous devions souper et coucher chez un garde forestier dont la maison n'était plus éloignée de nous. J'allais là pour chasser.

130 Mon guide, parfois, levait les yeux et murmurait : "Triste temps !" Puis il me parla des gens chez qui nous arrivions. Le père avait tué un braconnier deux ans auparavant, et, depuis ce temps, il semblait sombre, comme hanté d'un souvenir. Ses deux fils, mariés, vivaient avec lui.

135 Les ténèbres étaient profondes. Je ne voyais rien devant moi, ni autour de moi, et toute la branchure des arbres entrechoqués emplissait la nuit d'une rumeur incessante. Enfin, j'aperçus une lumière, et bientôt mon compagnon heurtait une porte. Des cris aigus de femmes nous répondirent. Puis

140 une voix d'homme, une voix étranglée, demanda : "Qui va
là ?" Mon guide se nomma. Nous entrâmes. Ce fut un inoubliable tableau.

Un vieux homme à cheveux blancs, à l'œil fou, le fusil
chargé dans la main, nous attendait debout au milieu de la
145 cuisine tandis que deux grands gaillards[1], armés de haches,
gardaient la porte. Je distinguai dans les coins sombres deux
femmes à genoux, le visage caché contre le mur.

On s'expliqua. Le vieux remit son arme contre le mur et
ordonna de préparer ma chambre ; puis comme les femmes
150 ne bougeaient point, il me dit brusquement :

" Voyez-vous, Monsieur, j'ai tué un homme, voilà deux
ans, cette nuit. L'autre année, il est revenu m'appeler. Je
l'attends encore ce soir."

Puis il ajouta d'un ton qui me fit sourire :
155 "Aussi, nous ne sommes pas tranquilles[2]."

Je le rassurai comme je pus, heureux d'être venu justement
ce soir-là, et d'assister au spectacle de cette terreur supersti-
tieuse. Je racontai des histoires, et je parvins à calmer à peu
près tout le monde.

160 Près du foyer, un vieux chien, presque aveugle et moustachu, un de ces chiens qui ressemblent à des gens qu'on
connaît, dormait le nez dans ses pattes.

Au-dehors, la tempête acharnée battait la petite maison, et,
par un étroit carreau, une sorte de judas[3] placé près de la
165 porte, je voyais soudain tout un fouillis d'arbres bousculés
par le vent à la lueur de grands éclairs.

Malgré mes efforts, je sentais bien qu'une terreur profonde
tenait ces gens, et chaque fois que je cessais de parler, toutes
les oreilles écoutaient au loin. Las d'assister à ces craintes
170 imbéciles, j'allais demander à me coucher, quand le vieux

---

1. **Gaillards :** garçons robustes et vigoureux.
2. **Tranquilles :** dans l'ordre, l'équilibre, la stabilité.
3. **Judas :** ouverture dissimulée par laquelle on voit celui qui frappe à la porte
Le mot est emprunté au nom du disciple qui trahit Jésus.

garde tout à coup fit un bond de sa chaise, saisit de nouveau son fusil, en bégayant d'une voix égarée :

" Le voilà ! Le voilà ! Je l'entends !" Les deux femmes retombèrent à genoux dans leurs coins en se cachant le
175 visage ; et les fils reprirent leurs haches. J'allais tenter encore de les apaiser, quand le chien endormi s'éveilla brusquement et, levant sa tête, tendant le cou, regardant vers le feu de son œil presque éteint, il poussa un de ces lugubres hurlements qui font tressaillir les voyageurs, le soir, dans la campagne.
180 Tous les yeux se portèrent sur lui, il restait maintenant immobile, dressé sur ses pattes comme hanté d'une vision, et il se remit à hurler vers quelque chose d'invisible, d'inconnu, d'affreux sans doute, car tout son poil se hérissait. Le garde, livide, cria : "Il le sent ! il le sent ! il était là quand je l'ai
185 tué." Et les deux femmes égarées se mirent, toutes les deux, à hurler avec le chien.

Malgré moi, un grand frisson me courut entre les épaules. Cette vision de l'animal dans ce lieu, à cette heure, au milieu de ces gens éperdus, était effrayante à voir.
190 Alors, pendant une heure, le chien hurla sans bouger ; il hurla comme dans l'angoisse d'un rêve ; et la peur, l'épouvantable peur entrait en moi ; la peur de quoi ? Le sais-je ? C'était la peur, voilà tout.

Nous restions immobiles, livides, dans l'attente d'un évé-
195 nement affreux, l'oreille tendue, le cœur battant, bouleversés au moindre bruit. Et le chien se mit à tourner autour de la pièce, en sentant les murs et gémissant toujours. Cette bête nous rendait fous ! Alors, le paysan qui m'avait amené, se jeta sur elle, dans une sorte de paroxysme[1] de terreur
200 furieuse, et, ouvrant une porte donnant sur une petite cour, jeta l'animal dehors.

Il se tut aussitôt ; et nous restâmes plongés dans un silence

---

1. **Paroxysme** : vocabulaire médical, d'un mot grec signifiant aiguiser ; période d'une maladie où les douleurs sont les plus aiguës, portées à leur degré le plus haut.

plus terrifiant encore. Et soudain tous ensemble, nous eûmes
une sorte de sursaut : un être glissait contre le mur du dehors
205 vers la forêt ; puis il passa contre la porte, qu'il sembla tâter,
d'une main hésitante ; puis on n'entendit plus rien pendant
deux minutes qui firent de nous des insensés ; puis il revint,
frôlant toujours la muraille ; et il gratta légèrement, comme
ferait un enfant avec son ongle ; puis soudain une tête appa-
210 rut contre la vitre du judas, une tête blanche avec des yeux
lumineux comme ceux des fauves. Et un son sortit de sa
bouche, un son indistinct, un murmure plaintif.

Alors un bruit formidable éclata dans la cuisine. Le vieux
garde avait tiré. Et aussitôt les fils se précipitèrent, bouchèrent
215 le judas en dressant la grande table qu'ils assujettirent avec
le buffet[1].

Et je vous jure qu'au fracas du coup de fusil que je n'attendais point, j'eus une telle angoisse du cœur, de l'âme et
du corps, que je me sentis défaillir[2], prêt à mourir de peur.
220 Nous restâmes là jusqu'à l'aurore, incapables de bouger,
de dire un mot, crispés dans un affolement indicible.

On n'osa débarricader la sortie qu'en apercevant, par la
fente d'un auvent[3], un mince rayon de jour.

Au pied du mur, contre la porte, le vieux chien gisait, la
225 gueule brisée d'une balle.

Il était sorti de la cour en creusant un trou sous une
palissade. »

L'homme au visage brun se tut ; puis il ajouta :

« Cette nuit-là pourtant, je ne courus aucun danger ; mais
230 j'aimerais mieux recommencer toutes les heures où j'ai
affronté les plus terribles périls, que la seule minute du coup
de fusil sur la tête barbue du judas. »

Le Gaulois, 23 octobre 1882

---

1. **En dressant ... le buffet :** ils placèrent la table debout contre la porte et la
coincèrent avec le buffet pour mieux se barricader.
2. **Défaillir :** s'évanouir.
3. **Auvent :** petit toit protégeant de la pluie, abri.

REPÈRES

• Repérez précisément le récit encadrant et le récit encadré (voir outils de lecture).
• Dites où commence la narration de *La Peur*.
• Quand et comment revient-on au récit encadrant ?
• Ce texte contient en fait deux récits encadrés ; délimitez-les précisément puis proposez un titre pour chacun d'eux.

OBSERVATION

• Qui parle ? Le personnage est-il ou non un personnage du récit ? S'exprime-t-il à la première personne ou non ?
• Comment les paroles des personnages sont-elles rapportées ?
• Le narrateur intervient-il pour commenter ce qu'il raconte, ou, plus subtilement, emploie-t-il un vocabulaire connoté qui nous révèle son point de vue sur les événements qu'il raconte ?
• Relevez des indices de la fonction phatique (voir outils de lecture) dans ce récit. Quel effet produisent-ils ?
• Relevez et commentez deux champs lexicaux, celui de la maladie et celui de l'imprécision.
• Quel est le sens de « vrai » dans « la vraie peur » (l. 40) ? de « doit » dans la phrase « Un homme… doit éprouver la peur » (l. 41) ? Expliquez les mots « phénomène » (l. 111) et « insensés » (l. 207). Que nous apprennent-ils ?
• Définissez les mots « émotion », « agitation », « anxiété », « panique », « peur », « terreur », « craintes » ; essayez de les classer par ordre croissant ; quel autre champ lexical (voir outils de lecture) s'oppose à celui de la peur ?
• Relevez une métaphore filée (voir outils de lecture) et précisez sa fonction.
• Ligne 96, relevez une figure de style (voir outils de lecture) et expliquez-la.
• Étudiez les effets phoniques (voir outils de lecture) des lignes 85 à 88.
• Outre le narratif, quel autre type de texte (voir outils de lecture) rencontre-t-on ici ?

- Brossez le portrait du narrateur du récit encadré.
- Quelle est l'importance de ce portrait ?
- Relevez un élément du paysage traditionnel des contes.
- Quel est le rôle et la valeur des deux paysages respectifs ?
- Quelle est l'atmosphère propre à chacun ?
- La description est-elle destinée à produire une impression particulière sur le lecteur ?
- Comment la peur du vieux garde se manifeste-t-elle ?
- Lignes 175 à 184 comment le chien est-il décrit ?

INTERPRÉTATIONS

- Justifiez le titre, *La Peur*.
- Quand le narrateur du récit encadré commence-t-il à avoir peur ? Pourquoi ?
- Parvient-il vraiment à définir la peur ? Quels mots traduisent sa difficulté ?
- Dans le processus de la peur, quelle est la valeur respective des bruits et des silences ?
- Ce récit fictif n'a-t-il pas une autre portée ? Quelle serait alors l'importance, pour le narrateur, de nous conduire dans deux lieux et deux temporalités différents ?
- En vous reportant à la ligne 114, dites à quelle lacune la peur peut être due.
- Commentez l'ordre dans lequel les deux aventures sont narrées.

La Main

On faisait cercle autour de M. Bermutier, juge d'instruc-
tion, qui donnait son avis sur l'affaire mystérieuse de Saint-
Cloud. Depuis un mois, cet inexplicable crime affolait Paris.
Personne n'y comprenait rien.

5 M. Bermutier, debout, le dos à la cheminée, parlait, assem-
blait les preuves, discutait les diverses opinions, mais ne
concluait pas.

Plusieurs femmes s'étaient levées pour s'approcher et
demeuraient debout, l'œil fixé sur la bouche rasée du magis-
10 trat d'où sortaient les paroles graves. Elles frissonnaient,
vibraient, crispées par leur peur curieuse, par l'avide et insatiable[1] besoin d'épouvante qui hante leur âme, les torture
comme une faim.

Une d'elles, plus pâle que les autres, prononça pendant un
15 silence :

« C'est affreux. Cela touche au "surnaturel". On ne saura
jamais rien. »

Le magistrat se tourna vers elle :

« Oui, Madame, il est probable qu'on ne saura jamais rien.
20 Quant au mot surnaturel que vous venez d'employer, il n'a
rien à faire ici. Nous sommes en présence d'un crime fort
habilement conçu, fort habilement exécuté, si bien enveloppé
de mystère que nous ne pouvons le dégager des circonstances
impénétrables[2] qui l'entourent. Mais j'ai eu, moi, autrefois,
25 à suivre une affaire où vraiment semblait se mêler quelque

---

1. **Insatiable :** dont on ne peut assouvir la faim.
2. **Impénétrables :** qu'on ne peut expliquer, mystérieuses.

La Main. *Gravure de Méaulle,*
La Vie populaire, *1885. B.N., Paris.*

chose de fantastique. Il a fallu l'abandonner[1] d'ailleurs, faute
de moyens de l'éclaircir. »

Plusieurs femmes prononcèrent en même temps, si vite que
leurs voix n'en firent qu'une :

30 « Oh ! dites-nous cela. »

M. Bermutier sourit gravement, comme doit sourire un
juge d'instruction. Il reprit :

« N'allez pas croire, au moins, que j'aie pu, même un instant, supposer en cette aventure quelque chose de surhumain.
35 Je ne crois qu'aux causes normales. Mais si, au lieu d'employer le mot "surnaturel" pour exprimer ce que nous ne
connaissons pas, nous nous servions simplement du mot
"inexplicable", cela vaudrait beaucoup mieux. En tout cas,
dans l'affaire que je vais vous dire, ce sont surtout les cir-
40 constances environnantes, les circonstances préparatoires qui
m'ont ému. Enfin, voici les faits :

· J'étais alors juge d'instruction à Ajaccio, une petite ville
blanche, couchée au bord d'un admirable golfe qu'entourent
partout de hautes montagnes.

45 Ce que j'avais surtout à poursuivre[2] là-bas, c'étaient les
affaires de vendetta. Il y en a de superbes, de dramatiques au
possible, de féroces, d'héroïques. Nous retrouvons là les plus
beaux sujets de vengeance qu'on puisse rêver, les haines séculaires[3], apaisées un moment, jamais éteintes, les ruses abo-
50 minables, les assassinats devenant des massacres et presque
des actions glorieuses. Depuis deux ans, je n'entendais parler
que du prix du sang[4], que de ce terrible préjugé corse qui
force à venger toute injure sur la personne qui l'a faite, sur
ses descendants et ses proches. J'avais vu égorger des vieil-

---

1. **L'abandonner** : classer le dossier.
2. **Poursuivre** : engager des poursuites judiciaires.
3. **Séculaires** : d'un siècle au moins.
4. **Prix du sang** : loi de la vendetta, celui qui a fait couler le sang doit payer
son crime en mourant à son tour. Lire la nouvelle de Maupassant, *Une vendetta*.

55 lards, des enfants, des cousins, j'avais la tête pleine de ces
histoires.

Or, j'appris un jour qu'un Anglais venait de louer pour
plusieurs années une petite villa au fond du golfe. Il avait
amené avec lui un domestique français, pris à Marseille en
60 passant.

Bientôt tout le monde s'occupa de ce personnage singulier
qui vivait seul dans sa demeure, ne sortant que pour chasser
et pour pêcher. Il ne parlait à personne, ne venait jamais à la
ville, et, chaque matin, s'exerçait pendant une heure ou deux
65 à tirer au pistolet et à la carabine.

Des légendes se firent autour de lui. On prétendit que c'était
un haut personnage fuyant sa patrie pour des raisons politiques ; puis on affirma qu'il se cachait après avoir commis
un crime épouvantable. On citait même des circonstances par-
70 ticulièrement horribles.

Je voulus, en ma qualité de juge d'instruction, prendre
quelques renseignements sur cet homme ; mais il me fut
impossible de rien apprendre. Il se faisait appeler sir John
Rowell.

75 Je me contentai donc de le surveiller de près ; mais on ne
me signalait, en réalité, rien de suspect à son égard.

Cependant, comme les rumeurs sur son compte conti-
nuaient, grossissaient, devenaient générales, je résolus d'essayer de voir moi-même cet étranger, et je me mis à chasser
80 régulièrement dans les environs de sa propriété.

J'attendis longtemps une occasion. Elle se présenta enfin
sous la forme d'une perdrix que je tirai et que je tuai devant
le nez de l'Anglais. Mon chien me la rapporta ; mais, prenant
aussitôt le gibier, j'allai m'excuser de mon inconvenance et
85 prier sir John Rowell d'accepter l'oiseau mort.

C'était un grand homme à cheveux rouges, à barbe rouge,
très haut, très large, une sorte d'hercule placide et poli. Il
n'avait rien de la raideur dite britannique et il me remercia
vivement de ma délicatesse en un français accentué d'outre-

90 Manche[1]. Au bout d'un mois, nous avions causé ensemble cinq ou six fois.

Un soir enfin, comme je passais devant sa porte, je l'aperçus qui fumait sa pipe, à cheval sur une chaise, dans son jardin. Je le saluai, et il m'invita à entrer pour boire un verre de bière.
95 Je ne me le fis pas répéter.

Il me reçut avec toute la méticuleuse courtoisie anglaise, parla avec éloge de la France, de la Corse, déclara qu'il aimait beaucoup "cette" pays, et "cette" rivage.

Alors, je lui posai, avec de grandes précautions et sous la
100 forme d'un intérêt très vif, quelques questions sur sa vie, sur ses projets. Il répondit sans embarras, me raconta qu'il avait beaucoup voyagé en Afrique, dans les Indes, en Amérique. Il ajouta en riant :

"J'avé eu bôcoup d'aventures, oh ! yes."

105 Puis je me remis à parler chasse, et il me donna des détails les plus curieux sur la chasse à l'hippopotame, au tigre, à l'éléphant et même la chasse au gorille.

Je dis :

"Tous ces animaux sont redoutables."

110 Il sourit :

"Oh ! nô, le plus mauvais, c'été l'homme."

Il se mit à rire tout à fait, d'un bon rire de gros Anglais content :

"J'avé beaucoup chassé l'homme aussi."

115 Puis il parla d'armes, et il m'offrit d'entrer chez lui pour me montrer des fusils de divers systèmes.

Son salon était tendu de noir, de soie noire brodée d'or. De grandes fleurs jaunes couraient sur l'étoffe sombre, brillaient comme du feu.

120 Il annonça :

"C'été une drap japonaise."

Mais, au milieu du plus large panneau, une chose étrange

---

1. **D'outre-Manche** : britannique.

me tira l'œil. Sur un carré de velours rouge, un objet noir se
détachait. Je m'approchai : c'était une main, une main
125 d'homme. Non pas une main de squelette, blanche et propre,
mais une main noire desséchée, avec des ongles jaunes, les
muscles à nu et des traces de sang ancien, de sang pareil à
une crasse, sur les os coupés net, comme d'un coup de hache,
vers le milieu de l'avant-bras.

130 Autour du poignet une énorme chaîne de fer, rivée, soudée
à ce membre malpropre, l'attachait au mur par un anneau
assez fort pour tenir un éléphant en laisse.

Je demandai :

"Qu'est-ce que cela ?"

135 L'Anglais répondit tranquillement :

"C'été ma meilleur ennemi. Il vené d'Amérique. Il avé été
fendu avec le sabre et arraché la peau avec une caillou cou-
pante, et séché dans le soleil pendant huit jours. Aoh, très
bonne pour moi, cette."

140 Je touchai ce débris humain qui avait dû appartenir à un
colosse. Les doigts, démesurément longs, étaient attachés par
des tendons[1] énormes que retenaient des lanières de peau par
places. Cette main était affreuse à voir, écorchée ainsi, elle
faisait penser naturellement à quelque vengeance de sauvage.

145 Je dis :

"Cet homme devait être très fort."

L'Anglais prononça avec douceur :

"Aoh yes ; mais je été plus fort que lui. J'avé mis cette
chaîne pour le tenir."

150 Je crus qu'il plaisantait. Je dis :

"Cette chaîne maintenant est bien inutile, la main ne se
sauvera pas."

Sir John Rowell reprit gravement :

"Elle voulé toujours s'en aller. Cette chaîne été néces-
155 saire."

---

1. **Tendons** : fibres blanches par lesquelles un muscle s'insère sur un os.

D'un coup d'œil rapide, j'interrogeai son visage, me demandant :

"Est-ce un fou, ou un mauvais plaisant[1] ?"

Mais la figure demeurait impénétrable[2], tranquille et bien-
160 veillante. Je parlai d'autre chose et j'admirai les fusils.

Je remarquai cependant que trois revolvers chargés étaient posés sur les meubles, comme si cet homme eût vécu dans la crainte constante d'une attaque.

Je revins plusieurs fois chez lui. Puis je n'y allai plus. On
165 s'était accoutumé à sa présence ; il était devenu indifférent à tous.

Une année entière s'écoula. Or un matin, vers la fin de novembre, mon domestique me réveilla en m'annonçant que sir John Rowell avait été assassiné dans la nuit.

170 Une demi-heure plus tard, je pénétrais dans la maison de l'Anglais avec le commissaire central et le capitaine de gen-darmerie. Le valet, éperdu[3] et désespéré, pleurait devant la porte. Je soupçonnai d'abord cet homme, mais il était innocent.

175 On ne put jamais trouver le coupable.

En entrant dans le salon de sir John, j'aperçus du premier coup d'œil le cadavre étendu sur le dos, au milieu de la pièce.

Le gilet était déchiré, une manche arrachée pendant, tout annonçait qu'une lutte terrible avait eu lieu.

180 L'Anglais était mort étranglé ! Sa figure noire et gonflée, effrayante, semblait exprimer une épouvante abominable ; il tenait entre ses dents serrées quelque chose ; et le cou, percé de cinq trous qu'on aurait dit faits avec des pointes de fer, était couvert de sang.

185 Un médecin nous rejoignit. Il examina longtemps les traces des doigts dans la chair et prononça ces étranges paroles :

"On dirait qu'il a été étranglé par un squelette."

---

1. **Mauvais plaisant :** qui fait des plaisanteries douteuses.
2. **Impénétrable :** dont on ne peut lire les sentiments.
3. **Éperdu :** affolé.

Un frisson me passa dans le dos, et je jetai les yeux sur le mur, à la place où j'avais vu jadis l'horrible main d'écorché.

190 Elle n'y était plus. La chaîne, brisée, pendait.

Alors je me baissai vers le mort, et je trouvai dans sa bouche crispée un des doigts de cette main disparue, coupé ou plutôt scié par les dents juste à la deuxième phalange.

Puis on procéda aux constatations[1]. On ne découvrit rien.

195 Aucune porte n'avait été forcée, aucune fenêtre, aucun meuble. Les deux chiens de garde ne s'étaient pas réveillés.

Voici, en quelques mots, la déposition[2] du domestique : depuis un mois, son maître semblait agité. Il avait reçu beaucoup de lettres, brûlées à mesure[3]. Souvent, prenant une cra-

200 vache, dans une colère qui semblait de la démence, il avait frappé avec fureur cette main séchée, scellée au mur, et enlevée, on ne sait comment, à l'heure même du crime. Il se couchait fort tard et s'enfermait avec soin. Il avait toujours des armes à portée du bras. Souvent, la nuit, il parlait haut

205 comme s'il se fût querellé avec quelqu'un.

Cette nuit-là, par hasard, il n'avait fait aucun bruit, et c'est seulement en venant ouvrir les fenêtres que le serviteur avait trouvé sir John assassiné. Il ne soupçonnait personne.

Je communiquai ce que je savais du mort aux magistrats

210 et aux officiers de la force publique, et on fit dans toute l'île une enquête minutieuse. On ne découvrit rien.

Or, une nuit, trois mois après le crime, j'eus un affreux cauchemar. Il me sembla que je voyais la main, l'horrible main, courir comme un scorpion ou comme une araignée le

215 long de mes rideaux et de mes murs. Trois fois, je me réveillai, trois fois je me rendormis, trois fois je revis le hideux débris galoper autour de ma chambre en remuant les doigts comme des pattes.

Le lendemain, on me l'apporta, trouvé dans le cimetière

---

1. **On procéda aux constatations** : on releva les indices et les circonstances.
2. **Déposition** : témoignage.
3. **À mesure** : au fur et à mesure.

220 sur la tombe de sir John Rowell, enterré là ; car on n'avait pu découvrir sa famille. L'index manquait.

Voilà, Mesdames, mon histoire. Je ne sais rien de plus. »

Les femmes, éperdues, étaient pâles, frissonnantes.

Une d'elles s'écria :

225 « Mais ce n'est pas un dénouement cela, ni une explication ! Nous n'allons pas dormir si vous ne nous dites pas ce qui s'est passé selon vous. »

Le magistrat sourit avec sévérité :

« Oh ! moi, Mesdames, je vais gâter, certes, vos rêves ter-
230 ribles. Je pense tout simplement que le légitime propriétaire de la main n'était pas mort, qu'il est venu la chercher avec celle qui lui restait. Mais je n'ai pu savoir comment il a fait, par exemple. C'est là une sorte de vendetta. »

Une des femmes murmura :

235 « Non, ça ne doit pas être ainsi. »

Et le juge d'instruction, souriant toujours, conclut :

« Je vous avais bien dit que mon explication ne vous irait pas. »

Le Gaulois, 23 décembre 1883.

REPÈRES

• Comme vous en avez maintenant l'habitude, situez le récit encadrant et le récit encadré. Donnez un titre à chacun d'eux.
• Quand revient-on au récit encadrant, de quelle manière ?

OBSERVATION

• Qui sont les deux narrateurs de *La Main* ?
• Quelle caution le statut social de M. Bermutier confère-t-il au récit ?
• Relevez et appréciez quelques traits d'humour.
• Comment les femmes du récit encadrant sont-elles décrites, quel sentiment Maupassant laisse-t-il transparaître ici ?
• Que pensez-vous du décor de la demeure de l'Anglais ? Cet intérieur nous apprend-il quelque chose sur sa personnalité ?
• Ce texte ne révèle-t-il pas le goût de l'exotisme (voir outils de lecture) en vogue au XIXᵉ siècle ? Développez votre réponse.
• Comparez avec l'exotisme de *La Peur*.
• Opposez, sous forme de tableau, les mots ou expressions relevant du domaine du surnaturel, et les mots ou expressions relevant du monde rationnel, explicable.
• Faites le schéma narratif de cette nouvelle (voir outils de lecture).
• Comment la main est-elle décrite ? Cette description vous permet-elle de mieux cerner la personnalité de Guy de Maupassant ?
• Relevez puis commentez deux comparaisons animales.
• Quel regard Maupassant porte-t-il sur la Corse ? Comparez avec *Une vendetta*.
• Quelles sont les manifestations de la peur éprouvée par M. Bermutier ?
• Relevez tous les détails de l'ordre de l'enquête criminelle ; selon vous, pourquoi celle-ci ne permet-elle pas de découvrir quelque chose ?

INTERPRÉTATIONS

• Quelle explication rationnelle de cet événement est avancée ?
• Pourquoi cette explication ne satisfait-elle pas l'auditoire de M. Bermutier ? Et vous, vous suffit-elle ?
• Pourquoi avons-nous peur de cette main ?
• Ce récit vous permet-il de donner une définition plus précise du genre fantastique ? Proposez-la en vous appuyant sur les détails du texte.

APPARITION

ON PARLAIT de séquestration à propos d'un procès récent. C'était à la fin d'une soirée intime, rue de Grenelle, dans un ancien hôtel[1], et chacun avait son histoire, une histoire qu'il affirmait vraie.

Alors le vieux marquis de La Tour-Samuel, âgé de quatre-vingt-deux ans, se leva et vint s'appuyer à la cheminée. Il dit de sa voix un peu tremblante :

« Moi aussi, je sais une chose étrange, tellement étrange, qu'elle a été l'obsession de ma vie. Voici maintenant cinquante-six ans que cette aventure m'est arrivée, et il ne se passe pas un mois sans que je la revoie en rêve. Il m'est demeuré de ce jour-là une marque, une empreinte de peur, me comprenez-vous ? Oui, j'ai subi l'horrible épouvante, pendant dix minutes, d'une telle façon que depuis cette heure une sorte de terreur constante m'est restée dans l'âme. Les bruits inattendus me font tressaillir jusqu'au cœur ; les objets que je distingue mal dans l'ombre du soir me donnent une envie folle de me sauver. J'ai peur la nuit, enfin.

Oh ! je n'aurais pas avoué cela avant d'être arrivé à l'âge où je suis. Maintenant je peux tout dire. Il est permis de n'être pas brave devant les dangers imaginaires, quand on a quatre-vingt-deux ans. Devant les dangers véritables, je n'ai jamais reculé, mesdames.

Cette histoire m'a tellement bouleversé l'esprit, a jeté en moi un trouble si profond, si mystérieux, si épouvantable, que je ne l'ai même jamais raconté. Je l'ai gardée dans le fond intime de moi, dans ce fond où l'on cache les secrets

---

1. **Hôtel** : hôtel « particulier », immeuble ancien ainsi appelé pour le distinguer de l'hôtel.

pénibles, les secrets honteux, toutes les inavouables faiblesses
que nous avons dans notre existence.

30 Je vais vous dire l'aventure telle quelle, sans chercher à
l'expliquer. Il est bien certain qu'elle est explicable, à moins
que je n'aie eu mon heure de folie. Mais non, je n'ai pas été
fou, et je vous en donnerai la preuve. Imaginez ce que vous
voudrez. Voici les faits tout simples.

35 C'était en 1827, au mois de juillet. Je me trouvais à Rouen
en garnison[1].

Un jour, comme je me promenais sur le quai, je rencontrai
un homme que je crus reconnaître sans me rappeler au juste
qui c'était. Je fis, par instinct, un mouvement pour m'arrêter.
40 L'étranger aperçut ce geste, me regarda et tomba dans mes
bras.

C'était un ami de jeunesse que j'avais beaucoup aimé.
Depuis cinq ans que je ne l'avais vu, il semblait vieilli d'un
demi-siècle. Ses cheveux étaient tout blancs ; et il marchait
45 courbé, comme épuisé. Il comprit ma surprise et me conta sa
vie. Un malheur terrible l'avait brisé.

Devenu follement amoureux d'une jeune fille, il l'avait
épousée dans une sorte d'extase de bonheur. Après un an
d'une félicité[2] surhumaine et d'une passion inapaisée, elle
50 était morte subitement d'une maladie de cœur, tuée par
l'amour lui-même, sans doute.

Il avait quitté son château le jour même de l'enterrement,
et il était venu habiter son hôtel de Rouen. Il vivait là, solitaire et désespéré, rongé par la douleur, si misérable[3] qu'il
55 ne pensait qu'au suicide.

"Puisque je te retrouve ainsi, me dit-il, je te demanderai de
me rendre un grand service, c'est d'aller chercher chez moi
dans le secrétaire de ma chambre, de notre chambre, quelques
papiers dont j'ai un urgent besoin. Je ne puis charger de ce

---

1. **En garnison :** en caserne dans une ville.
2. **Félicité :** bonheur stable.
3. **Misérable :** lamentable, pitoyable.

60 soin un subalterne[1] ou un homme d'affaires, car il me faut une impénétrable discrétion et un silence absolu. Quant à moi, pour rien au monde je ne rentrerai dans cette maison.

Je te donnerai la clef de cette chambre que j'ai fermée moi-même en partant, et la clef de mon secrétaire. Tu remettras 65 en outre un mot de moi à mon jardinier qui t'ouvrira le château.

Mais viens déjeuner avec moi demain, et nous causerons de cela."

Je lui promis de lui rendre ce léger service. Ce n'était 70 d'ailleurs qu'une promenade pour moi, son domaine se trouvant situé à cinq lieues[2] de Rouen environ. J'en avais pour une heure à cheval.

À dix heures, le lendemain, j'étais chez lui. Nous déjeunâmes en tête à tête ; mais il ne prononça pas vingt paroles. 75 Il me pria de l'excuser ; la pensée de la visite que j'allais faire dans cette chambre, où gisait son bonheur, le bouleversait, me disait-il. Il me parut en effet singulièrement agité, préoccupé, comme si un mystérieux combat se fût livré dans son âme.

80 Enfin il m'expliqua exactement ce que je devais faire. C'était bien simple. Il me fallait prendre deux paquets de lettres et une liasse de papiers enfermés dans le premier tiroir de droite du meuble dont j'avais la clef. Il ajouta :

"Je n'ai pas besoin de te prier de n'y point jeter les yeux."
85 Je fus presque blessé de cette parole, et je le lui dis un peu vivement. Il balbutia :

"Pardonne-moi, je souffre trop."

Et il se mit à pleurer.

Je le quittai vers une heure pour accomplir ma mission.
90 Il faisait un temps radieux, et j'allais au grand trot à travers les prairies, écoutant des chants d'alouettes et le bruit rythmé de mon sabre sur ma botte.

---

1. **Subalterne** : d'un rang inférieur.
2. **Cinq lieues** : vingt kilomètres.

Puis j'entrai dans la forêt et je mis au pas mon cheval. Des branches d'arbres me caressaient le visage ; et parfois j'attra-
95 pais une feuille avec mes dents et je la mâchais avidement, dans une de ces joies de vivre qui vous emplissent, on ne sait pourquoi, d'un bonheur tumultueux et comme insaisissable, d'une sorte d'ivresse de force.

En approchant du château, je cherchais dans ma poche la
100 lettre que j'avais pour le jardinier, et je m'aperçus avec étonnement qu'elle était cachetée[1]. Je fus tellement surpris et irrité que je faillis revenir sans m'acquitter de ma commission. Puis je songeai que j'allais montrer là une susceptibilité de mauvais goût. Mon ami avait pu d'ailleurs fermer ce mot
105 sans y prendre garde, dans le trouble où il était.

Le manoir semblait abandonné depuis vingt ans. La barrière, ouverte et pourrie, tenait debout on ne sait comment. L'herbe emplissait les allées ; on ne distinguait plus les plates-bandes du gazon.
110 Au bruit que je fis en tapant à coups de pied dans un volet, un vieil homme sortit d'une porte de côté et parut stupéfait de me voir. Je sautai à terre et je remis ma lettre. Il la lut, la relut, la retourna, me considéra en dessous, mit le papier dans sa poche et prononça :
115 "Eh bien ! qu'est-ce que vous désirez ?"

Je répondis brusquement :

"Vous devez le savoir, puisque vous avez reçu là-dedans les ordres de votre maître ; je veux entrer dans ce château."

Il semblait atterré[2]. Il déclara :
120 "Alors, vous allez dans... dans sa chambre ?"

Je commençai à m'impatienter.

"Parbleu[3] ! Mais est-ce que vous auriez l'intention de m'interroger, par hasard ?"

Il balbutia :

---

1. **Cachetée** : fermée par un cachet de cire.
2. **Atterré** : stupéfait, accablé, littéralement, à terre.
3. **Parbleu** : interjection qui évite de jurer « par Dieu », au XVIe siècle.

125 "Non... Monsieur... mais c'est que... c'est qu'elle n'a pas
été ouverte depuis... depuis la... mort. Si vous voulez m'attendre cinq minutes, je vais aller... aller voir si..."

Je l'interrompis avec colère :

"Ah ! çà, voyons, vous fichez-vous de moi ? Vous n'y pou-
130 vez pas entrer, puisque voici la clef."

Il ne savait plus que dire.

"Alors, Monsieur, je vais vous montrer la route.

— Montrez-moi l'escalier et laissez-moi seul. Je la trouverai bien sans vous.

135 — Mais... Monsieur... cependant..."

Cette fois, je m'emportai[1] tout à fait :

"Maintenant, taisez-vous, n'est-ce pas ? Ou vous aurez
affaire à moi."

Je l'écartai violemment et je pénétrai dans la maison. Je
140 traversai d'abord la cuisine, puis deux petites pièces que cet
homme habitait avec sa femme. Je franchis ensuite un grand
vestibule, je montai l'escalier et je reconnus la porte indiquée
par mon ami.

Je l'ouvris sans peine et entrai.

145 L'appartement était tellement sombre que je n'y distinguai
rien d'abord. Je m'arrêtai, saisi par cette odeur moisie et fade
des pièces inhabitées et condamnées, des chambres mortes.
Puis, peu à peu, mes yeux s'habituèrent à l'obscurité, et je vis
assez nettement une grande pièce en désordre, avec un lit sans
150 draps, mais gardant ses matelas et ses oreillers, dont l'un portait l'empreinte profonde d'un coude ou d'une tête comme si
on venait de se poser dessus.

Les sièges semblaient en déroute. Je remarquai qu'une
porte, celle d'une armoire sans doute, était demeurée
155 entrouverte.

J'allai d'abord à la fenêtre pour donner du jour et je

---

1. **Je m'emportai :** je cédai à la colère.

l'ouvris ; mais les ferrures du contrevent[1] étaient tellement rouillées que je ne pus les faire céder.

J'essayai même de les casser avec mon sabre, sans y par-
160 venir. Comme je m'irritais de ces efforts inutiles, et comme mes yeux s'étaient enfin parfaitement accoutumés à l'ombre, je renonçai à l'espoir d'y voir plus clair et j'allai au secrétaire.

Je m'assis dans un fauteuil, j'abattis la tablette[2], j'ouvris le tiroir indiqué. Il était plein jusqu'aux bords. Il ne me fallait
165 que trois paquets, que je savais comment reconnaître, et je me mis à les chercher.

Je m'écarquillais les yeux à déchiffrer les suscriptions[3], quand je crus entendre ou plutôt sentir un frôlement derrière moi. Je n'y pris point garde, pensant qu'un courant d'air
170 avait fait remuer quelque étoffe. Mais, au bout d'une minute, un autre mouvement, presque indistinct, me fit passer sur la peau un singulier petit frisson désagréable. C'était tellement bête d'être ému, même à peine, que je ne voulus pas me retourner, par pudeur pour moi-même. Je venais alors de
175 découvrir la seconde des liasses qu'il me fallait ; et je trouvais justement la troisième, quand un grand et pénible soupir, poussé contre mon épaule, me fit faire un bond de fou à deux mètres de là. Dans mon élan je m'étais retourné, la main sur la poignée de mon sabre, et certes, si je ne l'avais pas senti à
180 mon côté, je me serais enfui comme un lâche.

Une grande femme vêtue de blanc me regardait, debout derrière le fauteuil où j'étais assis une seconde plus tôt.

Une telle secousse me courut dans les membres que je faillis m'abattre à la renverse ! Oh ! personne ne peut comprendre,
185 à moins de les avoir ressenties, ces épouvantables et stupides terreurs. L'âme se fond ; on ne sent plus son cœur ; le corps

---

1. **Ferrures du contrevent** : les fermetures du volet.
2. **J'abattis la tablette** : le panneau rabattable du meuble qui, baissé, sert d'écritoire.
3. **Suscriptions** : adresses sur les enveloppes.

entier devient mou comme une éponge, on dirait que tout l'intérieur de nous s'écroule.

Je ne crois pas aux fantômes ; eh bien ! j'ai défailli sous la
190 hideuse peur des morts, et j'ai souffert, oh ! souffert en quelques instants plus qu'en tout le reste de ma vie, dans l'angoisse irrésistible des épouvantes surnaturelles.

Si elle n'avait pas parlé, je serais mort peut-être ! Mais elle parla ; elle parla d'une voix douce et douloureuse qui faisait
195 vibrer les nerfs. Je n'oserais pas dire que je redevins maître de moi et que je retrouvai ma raison. Non. J'étais éperdu[1] à ne plus savoir ce que je faisais ; mais cette espèce de fierté intime que j'ai en moi, un peu d'orgueil de métier aussi, me faisaient garder, presque malgré moi, une contenance hono-
200 rable. Je posais[2] pour moi, et pour elle sans doute, pour elle, quelle qu'elle fût, femme ou spectre. Je me suis rendu compte de tout cela plus tard, car je vous assure que, dans l'instant de l'apparition, je ne songeais à rien. J'avais peur.

Elle dit :

205 "Oh ! Monsieur, vous pouvez me rendre un grand service !"

Je voulus répondre, mais il me fut impossible de prononcer un mot. Un bruit vague sortit de ma gorge.

Elle reprit :

210 "Voulez-vous ? Vous pouvez me sauver, me guérir. Je souffre affreusement. Je souffre, oh ! je souffre !"

Et elle s'assit doucement dans mon fauteuil. Elle me regardait :

"Voulez-vous ?"

215 Je fis : "Oui !" de la tête, ayant encore la voix paralysée.

Alors elle me tendit un peigne en écaille et elle murmura :

"Peignez-moi, oh ! peignez-moi ; cela me guérira ; il faut qu'on me peigne. Regardez ma tête... Comme je souffre ; et mes cheveux comme ils me font mal !"

---

1. J'étais éperdu : accablé, paniqué.
2. Je posais : je prenais une attitude calculée.

220 Ses cheveux dénoués, très longs, très noirs, me semblait-il, pendaient par-dessus le dossier du fauteuil et touchaient la terre.

Pourquoi ai-je fait ceci ? Pourquoi ai-je reçu en frissonnant ce peigne, et pourquoi ai-je pris dans mes mains ses longs 225 cheveux qui me donnèrent à la peau une sensation de froid atroce comme si j'eusse manié des serpents ? Je n'en sais rien.

Cette sensation m'est restée dans les doigts et je tressaille en y songeant.

Je la peignai. Je maniai je ne sais comment cette chevelure 230 de glace. Je la tordis, je la renouai et la dénouai ; je la tressai comme on tresse la crinière d'un cheval. Elle soupirait, penchait la tête, semblait heureuse.

Soudain elle me dit : "Merci !", m'arracha le peigne des mains et s'enfuit par la porte que j'avais remarquée 235 entrouverte.

Resté seul, j'eus, pendant quelques secondes, ce trouble effaré[1] des réveils après les cauchemars. Puis je repris enfin mes sens ; je courus à la fenêtre et je brisai les contrevents d'une poussée furieuse.

240 Un flot de jour entra. Je m'élançai sur la porte par où cet être était parti. Je la trouvai fermée et inébranlable.

Alors une fièvre de fuite m'envahit, une panique, la vraie panique des batailles. Je saisis brusquement les trois paquets de lettres sur le secrétaire ouvert ; je traversai l'appartement 245 en courant, je sautai les marches de l'escalier quatre par quatre, je me trouvai dehors je ne sais par où, et, apercevant mon cheval à dix pas de moi, je l'enfourchai d'un bond et partis au galop.

Je ne m'arrêtai qu'à Rouen, et devant mon logis. Ayant 250 jeté la bride à mon ordonnance[2], je me sauvai dans ma chambre où je m'enfermai pour réfléchir.

Alors, pendant une heure, je me demandai anxieusement

---

1. **Effaré** : pris d'épouvante, d'effroi. Le terme est récurrent chez Maupassant.
2. **Ordonnance** : cavalier servant de messager à un officier, aide de camp.

si je n'avais pas été le jouet d'une hallucination. Certes, j'avais eu un de ces incompréhensibles ébranlements nerveux, 255 un de ces affolements du cerveau qui enfantent les miracles, à qui le Surnaturel doit sa puissance.

Et j'allais croire à une vision, à une erreur de mes sens, quand je m'approchai de ma fenêtre. Mes yeux, par hasard, descendirent sur ma poitrine. Mon dolman[1] était plein de 260 longs cheveux de femme qui s'étaient enroulés aux boutons !

Je les saisis un à un et je les jetai dehors avec des tremblements dans les doigts.

Puis j'appelai mon ordonnance. Je me sentais trop ému, trop troublé, pour aller le jour même chez mon ami. Et puis 265 je voulais mûrement réfléchir à ce que je devais lui dire.

Je lui fis porter ses lettres, dont il remit un reçu au soldat. Il s'informa beaucoup de moi. On lui dit que j'étais souffrant, que j'avais reçu un coup de soleil, je ne sais quoi. Il parut inquiet.

270 Je me rendis chez lui le lendemain, dès l'aube, résolu à lui dire la vérité. Il était sorti la veille au soir et pas rentré.

Je revins dans la journée, on ne l'avait pas revu. J'attendis une semaine. Il ne reparut pas. Alors je prévins la justice. On le fit rechercher partout, sans découvrir une trace de son pas-275 sage ou de sa retraite.

Une visite minutieuse fut faite du château abandonné. On n'y découvrit rien de suspect.

Aucun indice ne révéla qu'une femme y eût été cachée.

L'enquête n'aboutissant à rien, les recherches furent 280 interrompues.

Et, depuis cinquante-six ans, je n'ai rien appris. Je ne sais rien de plus. »

Le Gaulois, 4 avril 1883.

---

1. **Dolman** : mot d'origine turque, manteau militaire.

Repères

• Délimitez le récit encadrant. Où et dans quel milieu prend-il place ?

Observation

• Qui parle ? Quel est le statut social et le statut du narrateur ? Quelle importance leur accordez-vous ? Quelle remarque l'âge du vieux marquis vous inspire-t-elle ?
• Pourquoi ne cherche-t-il plus à expliquer l'aventure ?
• Relevez et classez le champ lexical de la peur.
• Définissez précisément le caractère du narrateur (récit encadré). Où avez-vous déjà rencontré ce type de caractère ?
• Pourquoi revient-il si souvent sous la plume de Maupassant ?
• Quelle est l'importance de l'ouïe et de la vue sur le processus de la peur ? Comparez avec *La Peur*.
• Comment la peur du domestique se manifeste-t-elle ?
• Relevez le vocabulaire médical, à quel autre champ lexical s'apparente-t-il ?
• Quelle est la valeur de la description ? Quel élément traditionnel des contes y retrouvez-vous ?
• À quels indices comprenons-nous que la chambre est habitée ?
• Quels indices annoncent l'apparition ?
• Étudiez le stéréotype (voir outils de lecture) de la revenante, au sens de femme-fantôme.
• Est-elle fantôme ou présence réelle ? Justifiez votre réponse.
• Expliquez l'expression « épouvantables et stupides erreurs » (l. 185). Nous apprend-elle quelque chose sur les rapports qu'entretiennent la peur et l'écriture ?
• Par quel procédé Maupassant dans *Apparition* rend-il la peur matérielle, palpable ?
• Étudiez les images décrivant la chevelure ; quel est l'effet produit ?
• Voyez ligne 201 l'expression « Je me suis rendu compte de tout cela plus tard » ; rapprochez-la d'une remarque de même sens rencontrée dans un autre texte du recueil et commentez.
• Faites le schéma actantiel (voir outils de lecture) et le schéma narratif d'*Apparition*.

INTERPRÉTATIONS

• À quoi font penser les sensations éprouvées par le soldat au contact des mains de la femme ?

• Quel est l'élément matériel nous interdisant de douter de la réalité de cette apparition ?

• Cette femme n'est-elle pas une allégorie (voir outils de lecture) ? De quoi ?

• Quel sens caché s'impose ? Peut-il expliquer, éclairer la réaction du domestique et la disparition du veuf ?

• Recoupez les deux événements.

• L'explication rationnelle que l'on peut tirer du recoupement vous satisfait-elle ? Pourquoi ?

Illustration de Larros, gravée par G. Lemoine, 1904.
Bibliothèque nationale, Paris.

LUI ?

À Pierre Decourcelle[1]

MON CHER AMI, tu n'y comprends rien ? et je le conçois. Tu me crois devenu fou ? Je le suis peut-être un peu, mais non pas pour les raisons que tu supposes.

Oui. Je me marie. Voilà.

5 Et pourtant mes idées et mes convictions n'ont pas changé. Je considère l'accouplement légal comme une bêtise. Je suis certain que huit maris sur dix sont cocus. Et ils ne méritent pas moins pour avoir eu l'imbécillité d'enchaîner leur vie, de renoncer à l'amour libre, la seule chose gaie et bonne au 10 monde, de couper l'aile à la fantaisie qui nous pousse sans cesse à toutes les femmes, etc., etc. Plus que jamais, je me sens incapable d'aimer une femme, parce que j'aimerai toujours trop toutes les autres. Je voudrais avoir mille bras, mille lèvres et mille... tempéraments pour pouvoir étreindre en 15 même temps une armée de ces êtres charmants et sans importance.

Et cependant je me marie.

J'ajoute que je ne connais guère ma femme de demain. Je l'ai vue seulement quatre ou cinq fois. Je sais qu'elle ne me 20 déplaît point ; cela me suffit pour ce que je veux en faire. Elle

---

1. **Pierre Decourcelle :** auteur de théâtre et de romans à feuilletons.

est petite, blonde et grasse. Après-demain, je désirerai ardem
ment une femme grande, brune et mince.

Elle n'est pas riche. Elle appartient à une famille moyenn
C'est une jeune fille comme on en trouve à la grosse[1], bonn
25 à marier, sans qualités et sans défauts apparents, dans
bourgeoisie ordinaire. On dit d'elle : « Mlle Lajolle est bi
gentille. » On dira demain : « Elle est fort gentille, Mme Ra
mon. » Elle appartient enfin à la légion[2] des jeunes filles ho
nêtes « dont on est heureux de faire sa femme » jusqu'au jo
30 où on découvre qu'on préfère justement toutes les autr
femmes à celle qu'on a choisie.

Alors pourquoi me marier, diras-tu ?

J'ose à peine t'avouer l'étrange et invraisemblable rais
qui me pousse à cet acte insensé.

35 Je me marie pour n'être pas seul !

Je ne sais comment dire cela, comment me fa
comprendre. Tu auras pitié de moi, et tu me mépriseras, ta
mon état d'esprit est misérable.

Je ne veux plus être seul, la nuit. Je veux sentir un ê
40 près de moi, contre moi, un être qui peut parler, dire quelq
chose, n'importe quoi.

Je veux pouvoir briser son sommeil ; lui poser une questi
quelconque brusquement, une question stupide pour entend
une voix, pour sentir habitée ma demeure, pour sentir u
45 âme en éveil, un raisonnement en travail, pour voir, allum
brusquement ma bougie, une figure humaine à mon côt
parce que... parce que... (je n'ose pas avouer cette honte
parce que j'ai peur, tout seul.

Oh ! tu ne me comprends pas encore.

50 Je n'ai pas peur d'un danger. Un homme entrerait, je
tuerais sans frissonner. Je n'ai pas peur des revenants ; je

---

1. **À la grosse** : grosse = une douzaine de douzaines ; on peut donc trou
très facilement semblable fille.
2. **Légion** : foule.

crois pas au surnaturel. Je n'ai pas peur des morts ; je crois
à l'anéantissement définitif de chaque être qui disparaît.

Alors !... oui. Alors !... Eh bien ! j'ai peur de moi ! j'ai peur
55 de la peur ; peur des spasmes de mon esprit qui s'affole, peur
de cette horrible sensation de la terreur incompréhensible.

Ris si tu veux. Cela est affreux, inguérissable. J'ai peur des
murs, des meubles, des objets familiers qui s'animent, pour
moi, d'une sorte de vie animale. J'ai peur surtout du trouble
60 horrible de ma pensée, de ma raison qui m'échappe brouillée,
dispersée par une mystérieuse et invisible angoisse.

Je sens d'abord une vague inquiétude qui me passe dans
l'âme et me fait courir un frisson sur la peau. Je regarde
autour de moi. Rien ! Et je voudrais quelque chose ! Quoi ?
65 Quelque chose de compréhensible. Puisque j'ai peur uniquement parce que je ne comprends pas ma peur.

Je parle ! j'ai peur de ma voix. Je marche ! j'ai peur de
l'inconnu de derrière la porte, de derrière le rideau, de dans
l'armoire, de sous le lit. Et pourtant je sais qu'il n'y a rien
70 nulle part.

Je me retourne brusquement parce que j'ai peur de ce qui
est derrière moi, bien qu'il n'y ait rien et que je le sache.

Je m'agite, je sens mon effarement grandir ; et je m'enferme
dans ma chambre ; et je m'enfonce dans mon lit, et je me
75 cache sous mes draps ; et blotti, roulé comme une boule, je
ferme les yeux désespérément, et je demeure ainsi pendant un
temps infini avec cette pensée que ma bougie demeure allu-
mée sur ma table de nuit et qu'il faudrait pourtant l'éteindre.
Et je n'ose pas.

80 N'est-ce pas affreux, d'être ainsi ?

Autrefois je n'éprouvais rien de cela. Je rentrais tranquillement. J'allais et je venais en mon logis sans que rien trou-
blât la sérénité de mon âme. Si l'on m'avait dit quelle maladie
de peur invraisemblable, stupide et terrible, devait me saisir
85 un jour, j'aurais bien ri ; j'ouvrais les portes dans l'ombre
avec assurance : je me couchais lentement, sans pousser les
verrous, et je ne me relevais jamais au milieu des nuits pour

m'assurer que toutes les issues de ma chambre étaient fortement closes.

90 Cela a commencé l'an dernier d'une singulière façon.

C'était en automne, par un soir humide. Quand ma bonne
fut partie, après mon dîner, je me demandai ce que j'allais
faire. Je marchai quelque temps à travers ma chambre. Je me
sentais las, accablé sans raison, incapable de travailler, sans
95 force même pour lire. Une pluie fine mouillait les vitres,
j'étais triste, tout pénétré par une de ces tristesses sans cause
qui vous donnent envie de pleurer, qui vous font désirer
parler à n'importe qui pour secouer la lourdeur de notre
pensée.

100 Je me sentais seul. Mon logis me paraissait vide comme
n'avait jamais été. Une solitude infinie et navrante[1] m'entourait. Que faire ? Je m'assis. Alors une impatience nerveuse me
courut dans les jambes. Je me relevai, et je me remis à marcher. J'avais peut-être aussi un peu de fièvre, car mes mains
105 que je tenais rejointes derrière mon dos, comme on fait souvent quand on se promène avec lenteur, se brûlaient l'une à
l'autre, et je le remarquai. Puis, soudain, un frisson de froid
me courut dans le dos. Je pensai que l'humidité du dehors
entrait chez moi, et l'idée de faire du feu me vint. J'en allu-
110 mai ; c'était la première fois de l'année. Et je m'assis de nouveau en regardant la flamme. Mais bientôt l'impossibilité de
rester en place me fit encore me relever, et je sentis qu'il fallait
m'en aller, me secouer, trouver un ami.

Je sortis. J'allai chez trois camarades que je ne rencontrai
115 pas ; puis, je gagnai le boulevard, décidé à découvrir une personne de connaissance.

Il faisait triste[2] partout. Les trottoirs trempés luisaient.
Une tiédeur d'eau, une de ces tiédeurs qui vous glacent la

---

1. **Navrante** : affligeante, pénible, décourageante.
2. **Il faisait triste** : il faisait un temps gris.

frissons brusques, une tiédeur pesante de pluie impalpable[1]
20 accablait la rue, semblait lasser et obscurcir la flamme du gaz.

J'allais d'un pas mou, me répétant : « Je ne trouverai personne avec qui causer. »

J'inspectai plusieurs fois les cafés, depuis la Madeleine jusqu'au faubourg Poissonnière[2]. Des gens tristes, assis devant
25 des tables, semblaient n'avoir même pas la force de finir leurs consommations.

J'errai longtemps ainsi, et vers minuit, je me mis en route pour rentrer chez moi. J'étais fort calme, mais fort las. Mon concierge, qui se couche avant onze heures, m'ouvrit tout de
30 suite, contrairement à son habitude ; et je pensai : « Tiens, un autre locataire vient sans doute de remonter. »

Quand je sors de chez moi, je donne toujours à ma porte deux tours de clef. Je la trouvai simplement tirée, et cela me frappa. Je supposai qu'on m'avait monté des lettres dans la
35 soirée.

J'entrai. Mon feu brûlait encore et éclairait même un peu l'appartement. Je pris une bougie pour aller l'allumer au foyer, lorsque, en jetant les yeux devant moi, j'aperçus quelqu'un assis dans mon fauteuil, et qui se chauffait les pieds en
40 me tournant le dos.

Je n'eus pas peur, oh ! non, pas le moins du monde. Une supposition très vraisemblable me traversa l'esprit : celle qu'un de mes amis était venu pour me voir. La concierge, prévenue par moi à ma sortie, avait dit que j'allais rentrer,
45 avait prêté sa clef. Et toutes les circonstances de mon retour, en une seconde, me revinrent à la pensée : le cordon[3] tiré tout de suite, ma porte seulement poussée.

Mon ami, dont je ne voyais que les cheveux, s'était

---

1. **Impalpable :** fine, immatérielle.
2. **Depuis la Madeleine jusqu'au faubourg Poissonnière :** de la place de la Madeleine aux quartiers pauvres du nord de Paris, trois kilomètres environ. L'itinéraire de Georges Duroy dans *Bel Ami* est inverse.
3. **Cordon :** petite corde permettant d'ouvrir une porte de l'intérieur.

endormi devant mon feu en m'attendant, et je m'avanç
150 pour le réveiller. Je le voyais parfaitement, un de ses br
pendant à droite ; ses pieds étaient croisés l'un sur l'autr
sa tête penchée un peu sur le côté gauche du fauteuil, in
quant bien le sommeil. Je me demandais : « Qui est-ce ?
On y voyait peu d'ailleurs dans la pièce. J'avançai la ma
155 pour lui toucher l'épaule !...

Je rencontrai le bois du siège ! Il n'y avait plus personn
Le fauteuil était vide !

Quel sursaut, miséricorde [1] !

Je reculai d'abord comme si un danger terrible eût appa
160 devant moi.

Puis je me retournai, sentant quelqu'un derrière mon do
puis, aussitôt, un impérieux besoin de revoir le fauteuil ▮
fit pivoter encore une fois. Et je demeurai debout, halet
d'épouvante, tellement éperdu que je n'avais plus une pens
165 prêt à tomber.

Mais je suis un homme de sang-froid, et tout de suite
raison me revint. Je songeai : « Je viens d'avoir une hallu
nation, voilà tout. » Et je réfléchis immédiatement sur ce pl
nomène. La pensée va vite dans ces moments-là.

170 J'avais une hallucination — c'était là un fait incontestab
Or, mon esprit était demeuré tout le temps lucide, fonctio
nant régulièrement et logiquement. Il n'y avait donc auc
trouble du côté du cerveau. Les yeux seuls s'étaient tromp
avaient trompé ma pensée. Les yeux avaient eu une visio
175 une de ces visions qui font croire aux miracles les gens na
C'était là un accident nerveux de l'appareil optique, rien
plus, un peu de congestion [2] peut-être.

Et j'allumai ma bougie. Je m'aperçus, en me baissant v
le feu, que je tremblais, et je me relevai d'une secous
180 comme si on m'eût touché par-derrière.

Je n'étais point tranquille, assurément.

---

1. **Miséricorde** : expression malheureuse = Mon Dieu !
2. **Congestion** : coup de sang, transport au cerveau.

Je fis quelques pas ; je parlai haut. Je chantai à mi-voix quelques refrains.

Puis je fermai la porte de ma chambre à double tour, et je me sentis un peu rassuré. Personne ne pouvait entrer, au moins.

Je m'assis encore et je réfléchis longtemps à mon aventure ; puis je me couchai, et je soufflai la lumière[1].

Pendant quelques minutes, tout alla bien. Je restais sur le dos, assez paisiblement. Puis le besoin me vint de regarder dans ma chambre ; et je me mis sur le côté.

Mon feu n'avait plus que deux ou trois tisons rouges qui éclairaient juste les pieds du fauteuil ; et je crus revoir l'homme assis dessus.

J'enflammai une allumette d'un mouvement rapide.

Je m'étais trompé, je ne voyais plus rien.

Je me levai, cependant, et j'allai cacher le fauteuil derrière mon lit.

Puis je refis l'obscurité et je tâchai de m'endormir. Je n'avais pas perdu connaissance depuis plus de cinq minutes, quand j'aperçus, en songe, et nettement comme dans la réalité, toute la scène de la soirée. Je me réveillai éperdument, et, ayant éclairé mon logis, je demeurai assis dans mon lit, sans oser même essayer de redormir.

Deux fois cependant le sommeil m'envahit, malgré moi, pendant quelques secondes. Deux fois je revis la chose. Je me croyais devenu fou.

Quand le jour parut, je me sentis guéri et je sommeillai paisiblement jusqu'à midi.

C'était fini, bien fini. J'avais eu la fièvre, le cauchemar, que sais-je ? J'avais été malade, enfin. Je me trouvai néanmoins fort bête.

Je fus très gai ce jour-là. Je dînai au cabaret ; j'allai voir le spectacle, puis je me mis en chemin pour rentrer. Mais voilà

---

1. **Je soufflai la lumière :** je soufflai la bougie.

215 qu'en approchant de ma maison, une inquiétude étrange m
saisit. J'avais peur de le revoir, lui. Non pas peur de lui, ne
pas peur de sa présence, à laquelle je ne croyais point, ma
j'avais peur d'un trouble nouveau de mes yeux, peur
l'hallucination[1], peur de l'épouvante qui me saisirait.

220   Pendant plus d'une heure, j'errai de long en large sur
trottoir ; puis je me trouvais trop imbécile à la fin et j'entr
Je haletais tellement que je ne pouvais plus monter mon esc
lier. Je restai là encore plus de dix minutes devant mon log
ment sur le palier, puis, brusquement, j'eus un élan de co

225 rage, un roidissement[2] de volonté. J'enfonçai ma clef ; je n
précipitai en avant, une bougie à la main, je poussai d'
coup de pied la porte entrebâillée de ma chambre, et je je
un regard effaré vers la cheminée. Je ne vis rien. « Ah !...

Quel soulagement ! Quelle joie ! Quelle délivrance !

230   J'allais et je venais d'un air gaillard[3]. Mais je ne me sent
pas rassuré ; je me retournais par sursauts ; l'ombre des coi
m'inquiétait.

Je dormis mal, réveillé sans cesse par des bruits ima
naires. Mais je ne le vis pas. C'était fini !

235   Depuis ce jour-là j'ai peur tout seul, la nuit. Je la sens
près de moi, autour de moi, la vision. Elle ne m'est po
apparue de nouveau. Oh non ! Et qu'importe, d'ailleu
puisque je n'y crois pas, puisque je sais que ce n'est rien !

Elle me gêne cependant, parce que j'y pense sans cesse
240 une main pendant du côté droit, sa tête était penchée du c
gauche comme celle d'un homme qui dort... Allons, ass
nom de Dieu ! je n'y veux plus songer !

Qu'est-ce que cette obsession, pourtant ? Pourquoi ce
persistance ? ses pieds étaient tout près du feu !

245   Il me hante, c'est fou, mais c'est ainsi. Qui, « Il » ? Je s
bien qu'il n'existe pas, que ce n'est rien ! Il n'existe que da

---

1. **Hallucination** : perception pathologique de faits inexistants, illusions.
2. **Roidissement** : terme vieilli, raideur.
3. **Gaillard** : joyeux, gai.

mon appréhension, que dans ma crainte, que dans mon angoisse ! Allons, assez !...

250 Oui, mais j'ai beau me raisonner, me roidir, je ne peux plus rester seul chez moi, parce qu'il y est. Je ne le verrai plus, je le sais, il ne se montrera plus, c'est fini cela. Mais il y est tout de même, dans ma pensée. Il demeure invisible, cela n'empêche qu'il y soit. Il est derrière les portes, dans l'armoire fermée, sous le lit, dans tous les coins obscurs, dans 55 toutes les ombres. Si je tourne la porte, si j'ouvre l'armoire, si je baisse ma lumière sous le lit, si j'éclaire les coins, les ombres, il n'y est plus ; mais alors je le sens derrière moi. Je me retourne, certain cependant que je ne le verrai pas, que je ne le verrai plus. Il n'en est pas moins derrière moi, encore. 60 C'est stupide, mais c'est atroce. Que veux-tu ? Je n'y peux rien.

Mais si nous étions deux chez moi, je sens, oui, je sens assurément, qu'il n'y serait plus ! Car il est là parce que je suis seul, uniquement parce que je suis seul !

Gil Blas, 3 juillet 1883.

Repères

- Délimitez le récit encadrant et le récit encadré.
- Comment justifiez-vous la longueur du récit encadrant ?

Observation

- Quels sont les types de textes dominants dans *Lui ?* (voir outils de lecture) ? Quel est le genre dominant (voir outils de lecture) ?
- Étudiez la fonction de la répétition de « je me marie » (lignes 4 et 17).
- Commentez, dans ce contexte précis, l'emploi du mot « fou ».
- À la ligne 19, relevez un euphémisme (voir outils de lecture) et expliquez-le.
- Quel est le motif du mariage dont il est ici question ?
- Quel trait de caractère le personnage principal manifeste-t-il à l'égard des femmes, à quelle occasion l'avez-vous déjà remarqué dans ce recueil ? Pourquoi cette insistance ?
- Une fois encore, relevez le vocabulaire médical. À quoi sert-il ? Comparez avec les autres textes.
- Relevez le champ lexical de la peur, classez-le. Opposez-le au champ lexical de la tranquillité.
- À la ligne 71, relevez un paradoxe (voir outils de lecture) ; expliquez-le. Opérez le même travail sur les lignes 216, 237, 246, 257.
- La saison revêt-elle une importance particulière dans ce texte, laquelle ?
- Selon vous, quelle est la fonction du feu dans ce récit ? Expliquez.
- Quelle impression l'anaphore (voir outils de lecture) de « Je n'ai pas peur » engendre-t-elle ?
- Faites le schéma narratif de cette nouvelle.

Interprétations

- Indiquez de manière très précise le moment où le fantastique apparaît dans ce récit.
- Quels éléments extérieurs et psychologiques expliquent l'intrusion de ce « Lui » dans la vie du narrateur ?
- Reformulez l'analyse des lignes 170 à 177.

• Quels sens se disputent la réalité de cette présence de « Lui » ?
Pourquoi cette contradiction ? En quoi concourt-elle à la définition
que vous vous forgez du fantastique ?

• À certains moments de la narration, les liens logiques articulent le
récit, peut-on parler dès lors d'une écriture de la folie ? Lorsque ces
mots de liaison s'effacent, quel effet leur absence produit-elle ?

• Expliquez la dernière phrase du texte. Ne convient-elle pas plutôt
à une nouvelle qu'à un conte (voir outils de lecture) ? Justifiez votre
réponse.

Qui sait ? *Gravure de Méaulle, d'après un dessin de Borione,*
La Vie populaire, *28 décembre 1890.*

QUI SAIT ?

1

MON DIEU ! MON DIEU ! Je vais donc écrire enfin ce qui m'est arrivé ! Mais le pourrai-je ? L'oserai-je ? Cela est si bizarre, si inexplicable, si incompréhensible, si fou !

Si je n'étais sûr de ce que j'ai vu, sûr qu'il n'y a eu, dans
5 mes raisonnements, aucune défaillance, aucune erreur dans mes constatations, pas de lacune[1] dans la suite inflexible[2] de mes observations, je me croirais un simple halluciné, le jouet d'une étrange vision. Après tout, qui sait ?

Je suis aujourd'hui dans une maison de santé ; mais j'y suis
10 entré volontairement, par prudence, par peur ! Un seul être connaît mon histoire. Le médecin d'ici. Je vais l'écrire. Je ne sais pas trop pourquoi ? Pour m'en débarrasser, car je la sens en moi comme un intolérable cauchemar.

La voici :

15 « J'ai toujours été un solitaire, un rêveur, une sorte de philosophe isolé, bienveillant, content de peu, sans aigreur contre les hommes et sans rancune contre le ciel. J'ai vécu seul, sans cesse, par suite d'une sorte de gêne qu'insinue en moi la présence des autres[3]. Comment expliquer cela ? Je ne
20 le pourrais. Je ne refuse pas de voir le monde, de causer, de dîner avec des amis, mais lorsque je les sens depuis longtemps près de moi, même les plus familiers, ils me lassent, me

---

1. **Lacune** : omission, oubli, insuffisance.
2. **Inflexible** : rigoureuse, logique.
3. **Qu'insinue en moi la présence des autres** : que m'inspire malgré moi la présence des autres.

fatiguent, m'énervent, et j'éprouve une envie grandissante, harcelante, de les voir partir ou de m'en aller, d'être seul.

25 Cette envie est plus qu'un besoin, c'est une nécessité irrésistible. Et si la présence des gens avec qui je me trouve continuait, si je devais, non pas écouter, mais entendre longtemps encore leurs conversations, il m'arriverait, sans aucun doute, un accident. Lequel ? Ah ! qui sait ? Peut-être une simple syn-
30 cope[1] ? Oui ! probablement !

J'aime tant être seul que je ne puis même supporter le voisinage d'autres êtres dormant sous mon toit ; je ne puis habiter Paris parce que j'y agonise indéfiniment[2]. Je meurs moralement, et suis aussi supplicié dans mon corps et dans mes
35 nerfs par cette immense foule qui grouille, qui vit autour de moi, même quand elle dort. Ah ! le sommeil des autres m'est plus pénible encore que leur parole. Et je ne peux jamais me reposer, quand je sais, quand je sens, derrière un mur, des existences interrompues par ces régulières éclipses[3] de la
40 raison.

Pourquoi suis-je ainsi ? Qui sait ? La cause en est peut-être fort simple : je me fatigue très vite de tout ce qui ne se passe pas en moi. Et il y a beaucoup de gens dans mon cas.

Nous sommes deux races sur la terre. Ceux qui ont besoin
45 des autres, que les autres distraient, occupent, reposent, et que la solitude harasse[4], épuise, anéantit, comme l'ascension d'un terrible glacier ou la traversée du désert, et ceux que les autres, au contraire, lassent, ennuient, gênent, courbaturent, tandis que l'isolement les calme, les baigne de repos dans
50 l'indépendance et la fantaisie de leur pensée.

En somme, il y a là un normal phénomène psychique. Les uns sont doués pour vivre en dehors, les autres pour vivre en dedans. Moi, j'ai l'attention extérieure courte et vite épuisée,

1. **Syncope :** arrêt du cœur.
2. **Indéfiniment :** sans fin, éternellement. Terme fréquent chez Maupassant.
3. **Éclipses :** fléchissements, défaillances.
4. **Harasse :** accable de fatigue.

et, dès qu'elle arrive à ses limites, j'en éprouve, dans tout mon
55 corps et dans toute mon intelligence, un intolérable malaise.

Il en est résulté que je m'attache, que je m'étais attaché
beaucoup aux objets inanimés qui prennent, pour moi, une
importance d'êtres, et que ma maison est devenue, était devenue, un monde où je vivais d'une vie solitaire et active, au
60 milieu de choses, des meubles, de bibelots familiers, sympa-
thiques à mes yeux comme des visages. Je l'en avais emplie
peu à peu, je l'en avais parée, et je me sentais dedans, content
et satisfait, bien heureux comme entre les bras d'une femme
aimable dont la caresse accoutumée est devenue un calme et
65 doux besoin.

J'avais fait construire cette maison dans un beau jardin qui
l'isolait des routes, et à la porte d'une ville où je pouvais
trouver, à l'occasion, les ressources de société dont je sentais,
par moments, le désir. Tous mes domestiques couchaient
70 dans un bâtiment éloigné, au fond du potager, qu'entourait
un grand mur. L'enveloppement obscur des nuits, dans le
silence de ma demeure perdue, cachée, noyée sous les feuilles
des grands arbres, m'était si reposant et si bon, que j'hésitais
chaque soir, pendant plusieurs heures, à me mettre au lit pour
75 le savourer plus longtemps.

Ce jour-là, on avait joué *Sigurd*[1] au théâtre de la ville.
C'était la première fois que j'entendais ce beau drame musical
et féerique, et j'y avais pris un vif plaisir.

Je revenais à pied, d'un pas allègre[2], la tête pleine de
80 phrases sonores, et le regard hanté par de jolies visions. Il
faisait noir, noir, mais noir au point que je distinguais à peine
la grande route, et que je faillis, plusieurs fois, culbuter dans

---

1. **Sigurd** : opéra d'Ernest Rever (1823-1909) dont le héros tue un dragon
gardien d'un trésor et comprend le langage des oiseaux ; un philtre lui fait
oublier son amour.
2. **Allègre** : léger, joyeux.

le fossé. De l'octroi chez moi[1], il y a un kilomètre environ, peut-être un peu plus, soit vingt minutes de marche lente. Il
85 était une heure du matin, une heure ou une heure et demie ; le ciel s'éclaircit un peu devant moi et le croissant parut, le triste croissant du dernier quartier de lune. Le croissant du premier quartier, celui qui se lève à quatre ou cinq heures du soir, est clair, gai, frotté d'argent, mais celui qui se lève après
90 minuit est rougeâtre, morne, inquiétant ; c'est le vrai croissant du Sabbat[2]. Tous les noctambules[3] ont dû faire cette remarque. Le premier, fût-il mince comme un fil, jette une petite lumière joyeuse qui réjouit le cœur, et dessine sur la terre des ombres nettes ; le dernier répand à peine une lueur
95 mourante si terne qu'elle ne fait presque pas d'ombres.

J'aperçus au loin la masse sombre de mon jardin, et je ne sais d'où me vint une sorte de malaise à l'idée d'entrer là-dedans. Je ralentis le pas. Il faisait très doux. Le gros tas d'arbres avait l'air d'un tombeau où ma maison était ensevelie.

100 J'ouvris ma barrière et je pénétrai dans la longue allée de sycomores[4], qui s'en allait vers le logis, arquée en voûte comme un haut tunnel, traversant des massifs opaques et contournant des gazons où les corbeilles de fleurs plaquaient, sous les ténèbres pâlies, des taches ovales aux nuances
105 indistinctes.

En approchant de la maison, un trouble bizarre me saisit. Je m'arrêtai. On n'entendait rien. Il n'y avait pas dans les feuilles un souffle d'air. « Qu'est-ce que j'ai donc ? » pensai-je. Depuis dix ans je rentrais ainsi sans que jamais la moindre
110 inquiétude m'eût effleuré. Je n'avais pas peur. Je n'ai jamais eu peur, la nuit. La vue d'un homme, d'un maraudeur, d'un

---

1. **De l'octroi chez moi** : il faut comprendre : de l'octroi à chez moi. L'octroi était un bureau chargé de percevoir les impôts sur l'entrée des marchandises en ville, il était marqué d'une borne.
2. **Sabbat** : assemblée nocturne de sorciers et de sorcières, célébration orgiaque de Satan à qui ils offrent une parodie de messe.
3. **Noctambules** : ceux qui se promènent la nuit.
4. **Sycomores** : figuiers du Moyen-Orient ou espèce d'érables.

voleur m'aurait jeté une rage dans le corps, et j'aurais sauté dessus sans hésiter. J'étais armé, d'ailleurs. J'avais mon revolver. Mais je n'y touchai point, car je voulais résister à cette
115 influence de crainte qui germait en moi.

Qu'était-ce ? Un pressentiment ? Le pressentiment mystérieux qui s'empare des sens des hommes quand ils vont voir de l'inexplicable ? Peut-être ? Qui sait ?

À mesure que j'avançais, j'avais dans la peau des tressail-
120 lements, et quand je fus devant le mur, aux auvents[1] clos, de ma vaste demeure, je sentis qu'il me faudrait attendre quelques minutes avant d'ouvrir la porte et d'entrer dedans. Alors, je m'assis sur un banc, sous les fenêtres de mon salon. Je restai là, un peu vibrant, la tête appuyée contre la muraille,
125 les yeux ouverts sur l'ombre des feuillages. Pendant ces premiers instants, je ne remarquai rien d'insolite autour de moi. J'avais dans les oreilles quelques ronflements ; mais cela m'arrive souvent. Il me semble parfois que j'entends passer des trains, que j'entends sonner des cloches, que j'entends
130 marcher une foule.

Puis, bientôt ces ronflements devinrent plus distincts, plus précis, plus reconnaissables. Je m'étais trompé. Ce n'était pas le bourdonnement ordinaire de mes artères qui mettait dans mes oreilles ces rumeurs, mais un bruit très particulier, très
135 confus cependant, qui venait, à n'en point douter, de l'intérieur de ma maison.

Je le distinguais à travers le mur, ce bruit continu, plutôt une agitation qu'un bruit, un remuement vague d'un tas de choses, comme si on eût secoué, déplacé, traîné doucement
140 tous mes meubles.

Oh ! je doutai, pendant un temps assez long encore, de la sûreté de mon oreille. Mais, l'ayant collée contre un auvent pour mieux percevoir ce trouble étrange de mon logis, je demeurai convaincu, certain, qu'il se passait chez moi

---

1. **Auvent** : toit abritant de la pluie.

145 quelque chose d'anormal et d'incompréhensible. Je n'avais pas peur, mais j'étais... comment exprimer cela... effaré d'étonnement. Je n'armai pas mon revolver — devinant fort bien que je n'en avais nul besoin. J'attendis.

J'attendis longtemps, ne pouvant me décider à rien, l'esprit
150 lucide, mais follement anxieux. J'attendis, debout, écoutant toujours le bruit qui grandissait, qui prenait, par moments, une intensité violente, qui semblait devenir un grondement d'impatience, de colère, d'émeute mystérieuse.

Puis soudain, honteux de ma lâcheté, je saisis mon trousseau
155 de clefs, je choisis celle qu'il me fallait, je l'enfonçai dans la serrure, je la fis tourner deux fois, et poussant la porte de toute ma force, j'envoyai le battant heurter la cloison.

Le coup sonna comme une détonation de fusil, et voilà qu'à ce bruit d'explosion répondit, du haut en bas de ma demeure,
160 un formidable tumulte. Ce fut si subit, si terrible, si assourdissant que je reculai de quelques pas, et que, bien que le sentant toujours inutile, je tirai de sa gaine mon revolver.

J'attendis encore, oh ! peu de temps. Je distinguais, à présent, un extraordinaire piétinement sur les marches de mon
165 escalier, sur les parquets, sur les tapis, un piétinement, non pas de chaussures, de souliers humains, mais de béquilles, de béquilles de bois et de béquilles de fer qui vibraient comme des cymbales. Et voilà que j'aperçus tout à coup, sur le seuil de ma porte, un fauteuil, mon grand fauteuil de lecture, qui
170 sortait en se dandinant. Il s'en alla par le jardin. D'autres le suivaient, ceux de mon salon, puis les canapés bas se traînant comme des crocodiles sur leurs courtes pattes, puis toutes mes chaises, avec des bonds de chèvres, et les petits tabourets qui trottaient comme des lapins.

175 Oh ! quelle émotion ! Je me glissai dans un massif où je demeurai accroupi, contemplant toujours ce défilé de mes meubles, car ils s'en allaient tous, l'un derrière l'autre, vite ou lentement, selon leur taille et leur poids. Mon piano, mon grand piano à queue, passa avec un galop de cheval emporté
180 et un murmure de musique dans le flanc, les moindres objets

glissaient sur le sable comme des fourmis, les brosses, les cristaux, les coupes, où le clair de lune accrochait des phosphorescences[1] de vers luisants. Les étoffes rampaient, s'étalaient
en flaques à la façon des pieuvres de la mer. Je vis paraître
185 mon bureau, un rare bibelot du dernier siècle, et qui contenait
toutes les lettres que j'ai reçues, toute l'histoire de mon cœur,
une vieille histoire dont j'ai tant souffert ! Et dedans étaient
aussi des photographies.

Soudain, je n'eus plus peur, je m'élançai sur lui et je le
190 saisis comme on saisit un voleur, comme on saisit une femme
qui fuit ; mais il allait d'une course irrésistible, et malgré mes
efforts, et malgré ma colère, je ne pus même ralentir sa
marche. Comme je résistais en désespéré à cette force épouvantable, je m'abattis par terre en luttant contre lui. Alors, il
195 me roula, me traîna sur le sable, et déjà les meubles, qui le
suivaient, commençaient à marcher sur moi, piétinant mes
jambes et les meurtrissant ; puis, quand je l'eus lâché, les
autres passèrent sur mon corps ainsi qu'une charge de cavalerie sur un soldat démonté[2].

200 Fou d'épouvante enfin, je pus me traîner hors de la grande
allée et me cacher de nouveau dans les arbres, pour regarder
disparaître les plus infimes objets, les plus petits, les plus
modestes, les plus ignorés de moi, qui m'avaient appartenu.

Puis j'entendis, au loin, dans mon logis sonore à présent
205 comme les maisons vides, un formidable bruit de portes refer-
mées. Elles claquèrent du haut en bas de la demeure, jusqu'à
ce que celle du vestibule que j'avais ouverte moi-même,
insensé, pour ce départ, se fût close, enfin, la dernière.

Je m'enfuis aussi, courant vers la ville, et je ne repris mon
210 sang-froid que dans les rues, en rencontrant des gens attardés.
J'allai sonner à la porte d'un hôtel où j'étais connu. J'avais
battu, avec mes mains, mes vêtements, pour en détacher la
poussière, et je racontai que j'avais perdu mon trousseau de

---

1. **Phosphorescences** : fluorescences.
2. **Démonté** : tombé de sa monture.

clefs, qui contenait aussi celle du potager, où couchaient mes
215 domestiques en une maison isolée, derrière le mur de clôture
qui préservait mes fruits et mes légumes de la visite des
maraudeurs.

Je m'enfonçai jusqu'aux yeux dans le lit qu'on me donna.
Mais je ne pus dormir, et j'attendis le jour en écoutant bondir
220 mon cœur. J'avais ordonné qu'on prévînt mes gens[1] dès
l'aurore, et mon valet de chambre heurta ma porte à sept
heures du matin.

Son visage semblait bouleversé.

« Il est arrivé cette nuit un grand malheur, Monsieur, dit-il.
225 — Quoi donc ?
— On a volé tout le mobilier de Monsieur, tout, tout, jusqu'aux plus petits objets. »

Cette nouvelle me fit plaisir. Pourquoi ? Qui sait ? J'étais
fort maître de moi, sûr de dissimuler, de ne rien dire à per-
230 sonne de ce que j'avais vu, de le cacher, de l'enterrer dans ma
conscience comme un effroyable secret. Je répondis :

« Alors, ce sont les mêmes personnes qui m'ont volé mes
clefs. Il faut prévenir tout de suite la police. Je me lève et je
vous y rejoindrai dans quelques instants. »

235 L'enquête dura cinq mois. On ne découvrit rien, on ne
trouva ni le plus petit de mes bibelots, ni la plus légère trace
des voleurs. Parbleu ! Si j'avais dit ce que je savais... Si je
l'avais dit... on m'aurait enfermé, moi, pas les voleurs, mais
l'homme qui avait pu voir une pareille chose.

240 Oh ! je sus me taire. Mais je ne remeublai pas ma maison.
C'était bien inutile. Cela aurait recommencé toujours. Je n'y
voulais plus rentrer. Je n'y rentrai pas. Je ne la revis point.

Je vins à Paris, à l'hôtel, et je consultai des médecins sur
mon état nerveux qui m'inquiétait beaucoup depuis cette nuit
245 déplorable.

Ils m'engagèrent à voyager. Je suivis leur conseil.

---

1. **Mes gens** : mes serviteurs.

2

Je commençai par une excursion en Italie. Le soleil me fit du bien. Pendant six mois, j'errai de Gênes à Venise, de Venise à Florence, de Florence à Rome, de Rome à Naples.
250 Puis je parcourus la Sicile, terre admirable par sa nature et ses monuments, reliques[1] laissées par les Grecs et les Normands. Je passai en Afrique, je traversai pacifiquement ce grand désert jaune et calme, où errent des chameaux, des gazelles et des Arabes vagabonds, où, dans l'air léger et trans-
255 parent, ne flotte aucune hantise, pas plus la nuit que le jour.

Je rentrai en France par Marseille, et malgré la gaieté provençale, la lumière diminuée du ciel m'attrista. Je ressentis, en revenant sur le continent, l'étrange impression d'un malade qui se croit guéri et qu'une douleur sourde[2] prévient que le
260 foyer du mal n'est pas éteint.

Puis je revins à Paris. Au bout d'un mois, je m'y ennuyai. C'était à l'automne, et je voulus faire, avant l'hiver, une excursion à travers la Normandie, que je ne connaissais pas.

Je commençai par Rouen, bien entendu, et pendant huit
265 jours, j'errai distrait, ravi, enthousiasmé dans cette ville du Moyen Âge, dans ce surprenant musée d'extraordinaires monuments gothiques.

Or, un soir, vers quatre heures, comme je m'engageais dans une rue invraisemblable où coule une rivière noire comme de
270 l'encre nommée « Eau de Robec », mon attention, toute fixée sur la physionomie bizarre et antique des maisons, fut détournée tout à coup par la vue d'une série de boutiques de brocanteurs qui se suivaient de porte en porte.

---

1. **Reliques :** à l'origine, os d'un saint ou tout objet lui ayant appartenu et auquel on voue un culte, une adoration. Par extension, objet que l'on garde d'un passé qui nous fut très cher, ce qui nous reste de ce passé.
2. **Sourde :** douleur difficile à définir.

Ah ! ils avaient bien choisi leur endroit, ces sordides[1] tra-
275 fiquants de vieilleries, dans cette fantastique ruelle, au-dessus
de ce cours d'eau sinistre, sous ces toits pointus de tuiles et
d'ardoises où grinçaient encore les girouettes du passé !

Au fond des noirs magasins, on voyait s'entasser les bahuts
sculptés, les faïences de Rouen, de Nevers, de Moustiers, des
280 statues peintes, d'autres en chêne, des christs, des vierges, des
saints, des ornements d'église, des chasubles[2], des chapes[3],
même des vases sacrés[4] et un vieux tabernacle[5] en bois doré
d'où Dieu avait déménagé. Oh ! les singulières cavernes en
ces hautes maisons, en ces grandes maisons, pleines, des caves
285 aux greniers, d'objets de toute nature, dont l'existence semblait finie, qui survivaient à leurs naturels possesseurs, à leur
siècle, à leur temps, à leurs modes, pour être achetés, comme
curiosités, par les nouvelles générations.

Ma tendresse pour les bibelots se réveillait dans cette cité
290 d'antiquaires. J'allais de boutique en boutique, traversant, en
deux enjambées, les ponts de quatre planches pourries jetées
sur le courant nauséabond de l'Eau de Robec.

Miséricorde ! Quelle secousse ! Une de mes plus belles
armoires m'apparut au bord d'une voûte encombrée d'objets
295 et qui semblait l'entrée des catacombes[6] d'un cimetière de
meubles anciens. Je m'approchai tremblant de tous mes
membres, tremblant tellement que je n'osais pas la toucher.
J'avançais la main, j'hésitais. C'était bien elle, pourtant : une

---

1. **Sordides :** d'une saleté repoussante, d'une grande misère, ignoble, honteux.
2. **Chasubles :** vastes vêtements à deux pans que le prêtre revêt sur l'aube pour
célébrer la messe.
3. **Chapes :** manteaux de cérémonie sans manches, capes comme les chasubles
richement ornées, agrafées au cou. Elles sont aujourd'hui encore recherchées par
les amateurs d'antiquités.
4. **Vases sacrés :** ciboire et coupe, souvent en or pour recueillir l'hostie et le
vin de messe.
5. **Tabernacle :** armoire en marbre ou en bois précieux contenant les hosties
consacrées.
6. **Catacombes :** cimetières souterrains, labyrinthiques (le mot ne s'emploie
qu'au pluriel).

armoire Louis XIII unique, reconnaissable par quiconque
300 avait pu la voir une seule fois. Jetant soudain les yeux un peu
plus loin, vers les profondeurs plus sombres de cette galerie,
j'aperçus trois de mes fauteuils couverts de tapisserie au petit
point, puis, plus loin encore, mes deux tables Henri II, si rares
qu'on venait les voir de Paris.

305   Songez ! songez à l'état de mon âme !

Et j'avançai, perclus[1], agonisant d'émotion, mais j'avançai,
car je suis brave, j'avançai comme un chevalier des époques
ténébreuses pénétrait en un séjour de sortilèges[2]. Je retrou-
vais, de pas en pas, tout ce qui m'avait appartenu, mes lustres,
310 mes livres, mes tableaux, mes étoffes, mes armes, tout, sauf
le bureau plein de mes lettres, et que je n'aperçus point.

J'allais, descendant à des galeries obscures pour remonter
ensuite aux étages supérieurs. J'étais seul. J'appelais, on ne
répondait point. J'étais seul ; il n'y avait personne en cette
315 maison vaste et tortueuse comme un labyrinthe.

La nuit vint, et je dus m'asseoir, dans les ténèbres, sur une
de mes chaises, car je ne voulais point m'en aller. De temps
en temps je criais : « Holà ! holà ! quelqu'un ! »

J'étais là, certes, depuis plus d'une heure quand j'entendis
320 des pas, des pas légers, lents, je ne sais où. Je faillis me sauver ; mais, me raidissant, j'appelai de nouveau, et j'aperçus
une lueur dans la chambre voisine.

« Qui est là ? » dit une voix.

Je répondis :

325   « Un acheteur. »

On répliqua :

« Il est bien tard pour entrer ainsi dans les boutiques. »

Je repris :

« Je vous attends depuis plus d'une heure.
330   — Vous pouviez revenir demain.

— Demain, j'aurai quitté Rouen. »

---

1. **Perclus** : incapable de se déplacer, impotent.
2. **Sortilèges** : influences magiques du sorcier.

Je n'osais point avancer, et il ne venait pas. Je voyais toujours la lueur de sa lumière éclairant une tapisserie où deux anges volaient au-dessus des morts d'un champ de bataille.
335 Elle m'appartenait aussi. Je dis :

« Eh bien ! Venez-vous ? »

Il répondit :

« Je vous attends. »

Je me levai et j'allai vers lui.

340 Au milieu d'une grande pièce était un tout petit homme, tout petit et très gros, gros comme un phénomène, un hideux phénomène.

Il avait une barbe rare, aux poils inégaux, clairsemés et jaunâtres, et pas un cheveu sur la tête ! Pas un cheveu !
345 Comme il tenait sa bougie élevée à bout de bras pour m'apercevoir, son crâne m'apparut comme une petite lune dans cette vaste chambre encombrée de vieux meubles. La figure était ridée et bouffie, les yeux imperceptibles.

Je marchandai trois chaises qui étaient à moi, et les payai
350 sur-le-champ une grosse somme, en donnant simplement le numéro de mon appartement à l'hôtel. Elles devaient être livrées le lendemain avant neuf heures.

Puis je sortis. Il me reconduisit jusqu'à sa porte avec beaucoup de politesse.

355 Je me rendis ensuite chez le commissaire central de la police à qui je racontai le vol de mon mobilier et la découverte que je venais de faire.

Il demanda séance tenante des renseignements par télégraphe au parquet[1] qui avait instruit l'affaire de ce vol, en
360 me priant d'attendre la réponse. Une heure plus tard elle lui parvint tout à fait satisfaisante pour moi.

« Je vais faire arrêter cet homme et l'interroger tout de suite, me dit-il, car il pourrait avoir conçu quelque soupçon et faire disparaître ce qui vous appartient. Voulez-vous aller

---

1. **Parquet :** groupe des magistrats représentant les intérêts de la société. Le mot vient de l'estrade en bois sur laquelle ils prennent la parole.

365 dîner et revenir dans deux heures, je l'aurai ici et je lui ferai subir un nouvel interrogatoire, devant vous.

— Très volontiers, Monsieur. Je vous remercie de tout mon cœur. »

J'allai dîner à mon hôtel, et je mangeai mieux que je
370 n'aurais cru. J'étais assez content tout de même. On le tenait.

Deux heures plus tard, je retournai chez le fonctionnaire de la police qui m'attendait.

« Eh bien ! Monsieur, me dit-il en m'apercevant. On n'a pas trouvé votre homme. Mes agents n'ont pu mettre la main
375 dessus.

— Ah ! » Je me sentis défaillir[1].

« Mais... Vous avez bien trouvé sa maison ? demandai-je.

— Parfaitement. Elle va même être surveillée et gardée jusqu'à son retour. Quant à lui, disparu.
380 — Disparu ?

— Disparu. Il passe ordinairement ses soirées chez sa voisine, une brocanteuse aussi, une drôle de sorcière, la veuve Bidoin. Elle ne l'a pas vu ce soir et ne peut donner sur lui aucun renseignement. Il faut attendre demain. »
385 Je m'en allai. Ah ! que les rues de Rouen me semblèrent sinistres, troublantes, hantées.

Je dormis si mal, avec des cauchemars à chaque bout de sommeil.

Comme je ne voulais pas paraître trop inquiet ou pressé,
390 j'attendis dix heures, le lendemain, pour me rendre à la police.

Le marchand n'avait pas reparu. Son magasin demeurait fermé.

Le commissaire me dit :
395 « J'ai fait toutes les démarches nécessaires. Le parquet est au courant de la chose ; nous allons aller ensemble à cette

---

1. **Défaillir** : s'évanouir.

boutique et la faire ouvrir, vous m'indiquerez tout ce qui est à vous. »

Un coupé[1] nous emporta. Des agents stationnaient, avec
400 un serrurier, devant la porte de la boutique, qui fut ouverte.

Je n'aperçus, en entrant, ni mon armoire, ni mes fauteuils, ni mes tables, ni rien, rien, de ce qui avait meublé ma maison, mais rien, alors que la veille au soir je ne pouvais faire un pas sans rencontrer un de mes objets.

405 Le commissaire central, surpris, me regarda d'abord avec méfiance.

« Mon Dieu, Monsieur, lui dis-je, la disparition de ces meubles coïncide étrangement avec celle du marchand. »

Il sourit :

410 « C'est vrai ! Vous avez eu tort d'acheter et de payer des bibelots à vous, hier. Cela lui a donné l'éveil. »

Je repris :

« Ce qui me paraît incompréhensible, c'est que toutes les places occupées par mes meubles sont maintenant remplies
415 par d'autres.

— Oh ! répondit le commissaire, il a eu toute la nuit, et des complices sans doute. Cette maison doit communiquer avec les voisines. Ne craignez rien, Monsieur, je vais m'oc-cuper très activement de cette affaire. Le brigand ne nous
420 échappera pas longtemps puisque nous gardons la tanière[2]. »

....

Ah ! mon cœur, mon cœur, mon pauvre cœur, comme il battait ! Je demeurai quinze jours à Rouen. L'homme ne revint pas. Parbleu ! parbleu ! Cet homme-là qui est-ce qui
425 aurait pu l'embarrasser ou le surprendre ?

Or, le seizième jour, au matin, je reçus de mon jardinier, gardien de ma maison pillée et demeurée vide, l'étrange lettre que voici :

« Monsieur,

---

1. **Coupé** : voiture à cheval, fermée et à quatre roues.
2. **Tanière** : gîte, terrier d'une bête sauvage.

430 J'ai l'honneur d'informer Monsieur qu'il s'est passé, la nuit dernière, quelque chose que personne ne comprend, et la police pas plus que nous. Tous les meubles sont revenus, tous sans exception, tous, jusqu'aux plus petits objets. La maison est maintenant toute pareille à ce qu'elle était la veille du vol.

435 C'est à en perdre la tête. Cela s'est fait dans la nuit de vendredi à samedi. Les chemins sont défoncés comme si on avait traîné tout de la barrière à la porte. Il en était ainsi le jour de la disparition.

Nous attendons Monsieur, dont je suis le très humble 440 serviteur. »

Raudin, Philippe.

Ah ! mais non, ah ! mais non, ah ! mais non. Je n'y retournerai pas !

Je portai la lettre au commissaire de Rouen.

445 « C'est une restitution très adroite, dit-il. Faisons les morts. Nous pincerons l'homme un de ces jours. »

....

Mais on ne l'a pas pincé. Non. Ils ne l'ont pas pincé, et j'ai peur de lui, maintenant, comme si c'était une bête féroce 450 lâchée derrière moi.

Introuvable ! il est introuvable, ce monstre à crâne de lune ! On ne le prendra jamais. Il ne reviendra point chez lui. Que lui importe à lui. Il n'y a que moi qui peux le rencontrer, et je ne veux pas.

455 Je ne veux pas ! je ne veux pas ! je ne veux pas !

Et s'il revient, s'il rentre dans sa boutique, qui pourra prouver que mes meubles étaient chez lui ? Il n'y a contre lui que mon témoignage ; et je sens bien qu'il devient suspect.

Ah ! mais non ! cette existence n'était plus possible. Et je 460 ne pouvais pas garder le secret de ce que j'ai vu. Je ne pouvais pas continuer à vivre comme tout le monde avec la crainte que des choses pareilles recommençassent.

Je suis venu trouver le médecin qui dirige cette maison de santé, et je lui ai tout raconté.

465 Après m'avoir interrogé longtemps, il m'a dit :

« Consentiriez-vous, Monsieur, à rester quelque temps ici ? »

— Très volontiers, Monsieur.

— Vous avez de la fortune ?

470 — Oui, Monsieur.

— Voulez-vous un pavillon isolé ?

— Oui, Monsieur.

— Voudrez-vous recevoir des amis ?

— Non, Monsieur, non, personne. L'homme de Rouen
475 pourrait oser, par vengeance, me poursuivre ici. »

....

Et je suis seul, tout seul, depuis trois mois. Je suis tranquille à peu près. Je n'ai qu'une peur... Si l'antiquaire devenait fou... et si on l'amenait en cet asile... Les prisons elles-mêmes ne
480 sont pas sûres.

L'Écho de Paris, 6 avril 1890.

Repères

• À quel type de texte les trois premiers paragraphes appartiennent-ils ?

• Étudiez leur ponctuation, la tournure intensive du premier paragraphe, la gradation (voir outils de lecture).

• Relevez dans le récit encadrant – après l'avoir délimité – le champ lexical du raisonnement.

• Comment et quand, à la fin du conte, revient-on au récit encadrant ?

Observation

• Relevez tous les indices permettant de brosser un autoportrait de Maupassant. Rapprochez-les des cinq autres textes du recueil.

• Relevez de nouveau le champ lexical de la maladie.

• Relevez et expliquez une métaphore du sommeil.

• Par rapport au récit précédent, *Lui ?*, quelle contradiction le récit *Qui sait ?* introduit-il quant au caractère du narrateur ? Pourquoi ?

• Peut-on rapprocher les différents narrateurs de ces six récits d'un seul et même auteur qui serait Guy de Maupassant ? Pourquoi ?

• Faites le schéma narratif de ce récit.

• Quel phénomène naturel met-il en jeu ? Ce phénomène introduit-il un déséquilibre dans le récit ? Pourquoi ?

• Dans les lignes 168 à 199, relevez et expliquez les images empruntées au bestiaire.

• On peut parler ici de narrateur omniscient (voir outils de lecture), quel passage précis nous autorise à le caractériser ainsi ?

• Quelle explication le valet de chambre avance-t-il pour justifier la disparition de tous les meubles ? Pourquoi satisfait-elle son maître ? Et vous, lecteur, vous satisfait-elle ?

Interprétations

• À partir de la seule ligne 12, dites quelle est la fonction de l'écriture ? De quel(s) autre(s) texte(s) du livre pouvez-vous rapprocher cette conception de l'écriture ?

• Peut-on parler ici de récit dans le récit ? Pourquoi ?

• Dans cette mésaventure, quelles sont selon vous les fonctions respectives du médecin et de la police ?

• Comment expliquez-vous la question de la ligne 469 : « Vous avez de la fortune ? » En quoi est-elle implicite (voir outils de lecture) ?

• Expliquez maintenant le titre, *Qui sait ?* ; reportez-vous à son nombre d'occurrences (voir outils de lecture). Pourquoi ces interrogations répétées ?

• Commentez la définition de l'inconscient contenue dans *Qui sait ?*

• Vous appuyant sur celle-ci, quels sont les sens cachés que vous pouvez attribuer à ce dernier récit ?

L'écriture de la folie, dernière ordonnance avant le silence

L'écriture de la peur d'abord, puis de la folie, assure aux six textes du recueil une double unité, l'unité thématique et l'unité structurelle.

L'unité thématique

Elle est donnée par le titre générique, *La Peur*, et c'est bien de ce sentiment, de ce seul sentiment que Maupassant traite en ces six textes, qu'il choisisse de le décrire ou de l'analyser, en propre spectateur de sa peur. Quelles que soient les raisons qui apeurent le canotier avéré de *Sur l'eau*, la solitude vespérale de l'embarqué dans un milieu qu'il ne connaît bien que diurne, explique principalement sa peur panique : un gommage nocturne brouille provisoirement les repères spatio-temporels. Il se perd mentalement dans un paysage mobile, et ce qui sur l'eau lui fait perdre pied, c'est le défaut d'un point fixe où concentrer d'abord sa pensée. La barque vient-elle à bouger dans un paysage colorié de nuit que l'hésitation s'ouvre à l'esprit comme une voie d'eau, et la pensée dérive. Que penser ?

La question encore se pose pour le personnage confronté à un milieu inconnu, l'Afrique des sables (les sables, comme l'eau, sont une fissure par laquelle pénètre l'hésitation). Et comme s'il entendait en finir avec un exotisme facile, le même anti-héros nous rappelle aussi la peur éprouvée dans une forêt du nord-est de la France en hiver. C'est la même hostilité du paysage qui prévaut dans les deux « traversées ». Nouvelles fissures, les nuages en déroute sur les cimes. La peur croît ; une main d'écorché s'anime. Plus inquiétant encore, une femme apparaît d'outre-tombe dans le temps même où son veuf s'éclipse, puis un ami immatériel occupe les bras d'un fauteuil vide et une armée de meubles terrasse leur bourgeois de propriétaire !

Dans tout cela, nombre de cadavres ; celui d'une vieille désespérée, d'un spahi perdu dans une tempête à la Pierre Loti, d'un chien aveugle, de John Rowell abattu par la synecdoque de son crime : assassinat de fantôme, main revenante d'outre-vie, nous n'y comprenons décidément rien.

Ce n'est pas un dénouement, cela... déplore l'une des auditrices de M. Bermutier, à quoi nous pourrions répondre et nous en prendre à Guy de Maupassant, « Mais ce n'est pas de la littérature, cela ! » Non, c'est l'acte de mort de la raison triomphante, l'arrêt de la narration bourgeoise, l'interdiction faite aux marquises de ne plus jamais sortir à cinq heures, comme il était de mise ; c'est le rideau tombant sur un siècle stupide, dix-neuvième du nom, le dernier acte scriptural de Maupassant après lequel il n'aura plus qu'à sombrer lui aussi, la pierre au cou rivée de la folie, plus qu'à se taire. Les fous, nous le savons, n'écrivent pas, au mieux tiennent-ils quelque jour, comme dans le Pétersbourg de Gogol, un journal, mais après ?

L'unité structurelle

Une main s'agite derrière ces six textes-assassinats, main d'écorché vif, main de Guy déjà détachée de son moi, main schizophrénique d'un suicidaire assassin de son texte ; déjà la structure de ses contes lui échappe, déjà il capitule face à l'acte de dire, l'acte de narration. Prenant en charge le début d'un récit où nous pensons qu'il va nous accompagner jusqu'au mot « fin », le narrateur de *Sur l'eau* passe, comme dans les jeux des enfants, le relais à son voisin et le voyageur en vue de l'Afrique s'efface devant le commandant de bord, qui lui-même s'interrompt pour laisser s'exprimer l'homme au teint bronzé. M. Bermutier, lui, va au bout de son histoire, sans satisfaire il est vrai la curiosité de son auditoire, le vieux marquis de La Tour-Samuel, âgé de quatre-vingt-deux ans, assume lui aussi toute la narration : il n'est, dans cette société, que les vieillards pour oser assumer de tels récits. Car le jeu est bien celui-ci, se raconter des histoires à la manière des compagnons de l'*Heptaméron* de Marguerite de Navarre.
Le narrateur-épistolier de *Lui ?* commence d'avouer sa folie, la preuve, il se marie ! Plus graves sont les symptômes d'une inquiétude qui l'a mené au mariage ; ils remontent à une année, depuis qu'un ami invisible s'est glissé dans le fauteuil familier, l'objet de rassurance par excellence. Quelle idée ! À moins que ce ne soit lui, enfin l'autre, qui se soit mis en tête cette présence d'un autre venu le visiter dans ses hallucinations au moins ; trop de solitude, vraiment ! Il est venu « uniquement parce que je suis seul ». Même cas de figure,

même urgence d'écriture pour le narrateur de *Qui sait ?*, écrire un cri, l'ultime peut-être depuis la maison de santé dans laquelle il a eu le temps et la prudence de se faire admettre avant qu'on l'y convoque. Le médecin seul connaît l'histoire qu'il écrit, tel le psychiatre de Gérard enjoignant à Nerval de consigner ses chimères. Écrire dans la protection illusoire de l'asile qui le protège depuis trois mois, dernier cercle concentrique à contenir sa schizophrénie puisque même les prisons s'ouvrent et pourraient laisser s'évader l'antiquaire véreux.

L'écrit ne se fissure pas encore, n'échappe ni au personnage de *Lui ?* ni à celui de *Qui sait ?* ; les deux trouvent encore le courage de poser une question. L'écrit n'échappe pas à Guy de Maupassant et il peut bien encore faire profession de conteur. Mais pour combien de temps ?

Il est clair que ces textes ne sont pas ceux de la folie ; lorsqu'elle gagnera la partie – les murs des asiles ne sont pas si sûrs qu'on le croit – il sera trop tard, trop tard pour l'écriture, trop tard pour l'écrivain. Blanche, la page le restera, comme les murs de la cellule du fou, blanche comme la blouse du docteur Blanche, dernier tenant de l'écrit dans cette relation à Guy, signataire de l'ordonnance et du rapport psychiatrique. Grâce auxquels nous n'en saurons pas plus : secret médical oblige !

Comment lire l'œuvre

L'action

Schéma narratif

• **Sur l'eau**

Récit encadrant : ligne 1 (« J'avais loué, l'été dernier, une petite maison [...] ») à ligne 53 (« [...] il y a une dizaine d'années. »).

Un premier narrateur présente brièvement sa maison et son voisin à qui il passe le relais de la narration.

Récit encadré : ligne 54 (« J'habitais, comme aujourd'hui, la maison de la mère Lafon [...] »).

Situation initiale : ligne 60 (« Un soir, comme je revenais tout seul et assez fatigué [...] dans la rivière. »).

Temps magnifique, lune resplendissante ; on n'entendait rien.

Premier élément perturbateur : ligne 81 (« Soudain, à ma droite, contre moi, une grenouille coassa. Je tressaillis [...] »).

Tranquillité ; légers mouvements de barque, inquiétude.

Épisode : ligne 97 (« [...] je résolus de m'en aller. Je tirai sur ma chaîne [...] »).

Péripétie : ligne 99 (« [...] puis je sentis une résistance [...] »).

Colère, immobilité, attente.

Épisode : ligne 117 (« Soudain un petit coup sonna contre mon bordage. »).

Soubresaut, sueur froide ; nouvel effort pour remonter l'ancre ; épuisement ; montée du brouillard ; essai de retour à la raison ; absorption de rhum ; lever du jour.

Péripétie : ligne 210 (« Soudain je crus sentir qu'une ombre glissait [...] c'était un pêcheur. »).

Arrivée d'une troisième barque ; l'ancre cède ; on remonte une masse.

Dénouement : ligne 223 (« C'était le cadavre d'une vieille femme [...] »).

• **La Peur**

Récit encadrant : ligne 1 (« On remonta sur le pont après dîner. »).

Trois narrateurs se passent successivement le relais : un premier narrateur qui dit « On », puis le commandant, et enfin, l'homme au teint bronzé. Ce dernier prend en charge le récit encadré.

Récit encadré : lignes 31 à 54 (mode d'exposition, un monologue de 24 lignes qui tente de définir la peur) ; lignes 55 à 61 (nouvelle digression sur la peur).

Épisode : ligne 62 (« Eh bien, voici ce qui m'est arrivé sur cette terre d'Afrique [...] »).

Traversée des dunes.

Élément perturbateur et épisode : ligne 85 (« Quelque part, près de nous, dans une direction indéterminée, un tambour battait [...] »).

Roulement fantastique du tambour ; épouvante des Arabes ; insolation de l'un d'eux ; vaine tentative pour le sauver pendant deux heures.

Lignes 101 à 115 (mode d'exposition, dialogue entre les narrateurs 2 et 3).

Second récit et épisode : ligne 116 (« J'arrive à ma seconde émotion. »).

L'hiver dernier dans une forêt du nord-est ; une marche nocturne.

Péripétie : ligne 137 (« Enfin, j'aperçus une lumière, et bientôt, mon compagnon heurtait une porte. »).

Épisode : ligne 141 (« Nous entrâmes. Ce fut un inoubliable tableau. »).

Modalité d'exposition, description de la maison et dialogue avec ses occupants.

Élément perturbateur : ligne 170 (« [...] quand le vieux garde tout à coup fit un bond [...] »).

Hurlement du chien, pendant une heure.

Péripétie : ligne 198 (« Alors, le paysan [...] jeta l'animal dehors. »).

Silence.

Ligne 203 (« Et soudain tous ensemble, nous eûmes une sorte de sursaut [...] »).

Peur.

Péripétie : ligne 213 (« Alors un bruit formidable éclata dans la cuisine. »).

Épisode : ligne 220 (« Nous restâmes là, jusqu'à l'aurore [...] »).

Dénouement : ligne 224 (« Au pied du mur, contre la porte, le vieux chien gisait [...] »).

• **La Main**

Récit encadrant : lignes 1 à 41 (de « On faisait cercle autour de M. Bermutier » à « Enfin, voici les faits : »).

Récit encadré : ligne 42 (« J'étais alors juge d'instruction à Ajaccio [...] »).

Situation initiale : ligne 51 (« Depuis deux ans, je n'entendais parler que du prix du sang [...] j'avais la tête pleine de ces histoires. »).

Élément perturbateur et épisode : ligne 57 (« Or, j'appris un jour qu'un Anglais venait de louer [...] »).

Mystère autour de l'Anglais ; surveillance de M. Bermutier ; il vient chasser régulièrement dans les parages.

Élément perturbateur : ligne 81 (« J'attendis longtemps une occasion. Elle se présenta enfin sous la forme d'une perdrix [...] »).

Épisode : ligne 86 (mode d'exposition, le portrait de l'Anglais) ; ligne 92 (« Un soir enfin, comme je passais devant sa porte [...] »). Les deux hommes font connaissance ; ils dialoguent.

Élément perturbateur : ligne 122 (« Mais, au milieu du plus large panneau, une chose me tira l'œil. ») ; ligne 124 (mode d'exposition, description de la main).

Épisode : ligne 164 (« Je revins plusieurs fois chez lui. »).

Péripétie : ligne 167 (« Une année entière s'écoula. Or un matin, vers la fin de novembre, mon domestique me réveilla en m'annonçant que sir John Rowell avait été assassiné dans la nuit. »).

Épisode : ligne 170 (« Une demi-heure plus tard, je pénétrais dans la maison [...] »).

Enquête : une nuit, trois mois après le crime, affreux cauchemar de M. Bermutier.

Élément perturbateur : ligne 119 (« Le lendemain, on me l'apporta » [la main trouvée dans le cimetière] « L'index manquait. »).

Retour au récit encadrant et situation finale : ligne 222 (« Je ne sais rien de plus. »).
Déception des femmes.

• **Apparition**
Récit encadrant : lignes 1 à 34 (« On parlait de séquestration à propos d'un procès récent. [...] Voici les faits tout simples. »).
Dans son salon de la rue de Grenelle, le marquis de La Tour-Samuel se propose de narrer un fait étrange à ses amis.
Récit encadré : ligne 35 (« C'était en 1827, au mois de juillet. »).
Le narrateur était en garnison à Rouen.
Élément perturbateur : ligne 37 (« Un jour, comme je me promenais sur le quai, je rencontrai un homme que je crus reconnaître [...] »).
Récit rétrospectif et dialogue : ligne 43 (« Depuis cinq ans que je ne l'avais vu [...] »).
Mode d'exposition : un récit rétrospectif. Il avait épousé une jeune fille ; après un an... elle était morte ; il avait quitté son château ; il était venu habiter Rouen.
Ligne 56 (« Puisque je te retrouve ainsi, me dit-il, je te demanderai de me rendre un grand service [...] »).
Mode d'exposition : un dialogue.
L'interlocuteur expose en quoi consiste ce service, les deux amis se mettent d'accord.
Épisode : ligne 73 (« À dix heures, le lendemain, j'étais chez lui. »).
Mode d'exposition : dialogue et récit.
Les deux hommes déjeunent ensemble.
Épisode : ligne 89 (« Je le quittai vers une heure pour accomplir ma mission. »).
Chevauchée du héros jusqu'au château.
Péripétie : ligne 111 (« [...] un vieil homme sortit d'une porte de côté [...] »).
Mode d'exposition : un dialogue.
Réticence du valet.
Épisode : ligne 139 (« Je l'écartai violemment [...] »).
Découverte des liasses.

Ligne 176 : (« [...] quand un grand et pénible soupir [...] »).
Mode d'exposition : récit et dialogue.
Apparition d'une femme.
Épisode : ligne 233 (« Soudain elle me dit : "Merci !" [...] et s'enfuit par la porte ») ; ligne 236 (« Resté seul [...] trouble effaré ») ; ligne 242 (« Alors une fièvre de fuite m'envahit [...] ») ; ligne 249 (« Je ne m'arrêtai qu'à Rouen [...] ») ; ligne 251 (« Je me sauvai dans ma chambre où je m'enfermai pour réfléchir. ») ; ligne 252 (« Alors, pendant une heure, je me demandai anxieusement [...] ») ; ligne 259 (« Mon dolman était plein de longs cheveux de femme [...] ») ; ligne 270 (« Je me rendis chez lui le lendemain [...] ») ; ligne 279 (« [...] les recherches furent interrompues. »).
Situation finale et retour au récit encadrant : ligne 281 (« Et, depuis cinquante-six ans, je n'ai rien appris. »).

• **Lui ?**
Récit encadrant : lignes 1 à 89 (« Mon cher ami [...] toutes les issues de ma chambre était fortement closes. »).
Mode d'exposition : une lettre.
Situation initiale : lignes 90 à 113 (« Cela a commencé l'an dernier d'une singulière façon. »).
Seul chez lui, le narrateur s'ennuie.
Élément perturbateur : ligne 114 (« Je sortis. »).
Épisode : lignes 114 à 126 (« J'allai chez trois camarades [...] de finir leurs consommations. »).
Péripétie : lignes 127 à 137 (« [...] vers minuit, je me mis en route pour rentrer chez moi. »).
Élément perturbateur : ligne 138 (« [...] j'aperçus quelqu'un assis dans mon fauteuil [...] »).
Épisode : lignes 141 à 154 (« Je n'eus pas peur [...] J'avançai la main pour lui toucher l'épaule ! »).
Péripétie : lignes 156 à 188 (« Je rencontrai le bois du siège ! [...] Je me couchai, et je soufflai la lumière. »).
Épisode : lignes 189 à 191 (« Pendant quelques minutes, tout alla bien. [...] Puis le besoin me vint de regarder dans ma chambre [...] »).

Péripétie : lignes 192 à 206 (« Mon feu n'avait plus que deux ou trois tisons rouges qui éclairaient juste les pieds du fauteuil ; et je crus revoir l'homme assis dessus. [...] Je me croyais devenu fou .»).

Épisode : lignes 208 à 214 (« Quand le jour parut, je me sentis guéri [...] je me mis en chemin pour rentrer. »).

Péripétie : lignes 214 à 221 (« Mais voilà qu'en approchant de ma maison, une inquiétude étrange me saisit. [...] et j'entrai. »).

Situation finale : ligne 233 (« Je dormis mal, réveillé sans cesse par des bruits imaginaires. [...] Mais je ne le vis pas. C'était fini ! »).

Épilogue et retour au récit encadrant : lignes 235 à 264 (« Depuis ce jour-là [...] je suis seul ! »).

• Qui sait ?

Récit encadrant : lignes 1 à 74 (« Je vais donc écrire enfin ce qui m'est arrivé ! [...] pour le savourer plus longtemps. »).

Situation initiale : lignes 76 à 78 (« Ce jour-là, on avait joué *Sigurd* [...] et j'y avais pris un vif plaisir. »).

Épisode : lignes 79 à 158 (« Je revenais à pied [...] j'envoyai le battant heurter la cloison. »).

Élément perturbateur : ligne 159 (« [...] et voilà qu'à ce bruit d'explosion répondit, du haut en bas de ma demeure, un formidable tumulte. »).

Péripétie : lignes 161 à 210 (« Ce fut si subit, si terrible [...] la dernière. »).

Épisode : lignes 211 à 248 (« Je m'enfuis aussi, courant vers la ville [...] Ils m'engagèrent à voyager. Je suivis leur conseil. »).

Épisode-Récit : lignes 249 à 268 (« Je commençai par une excursion en Italie. [...] d'extraordinaires monuments gothiques. »).

Élément perturbateur : lignes 270 à 275 (« Or, un soir, vers quatre heures [...] qui se suivaient de porte en porte. »).

Péripétie : lignes 276 à 373 (« Ah ! ils avaient bien choisi leur endroit [...] Deux heures plus tard, je retournai chez le fonctionnaire de la police qui m'attendait. »).

Situation finale : lignes 375 à 460 (« Eh bien ! Monsieur, me dit-il en m'apercevant [...] avec la crainte que des choses pareilles recommençassent. »).

Retour au récit encadrant : lignes 462 à 477 (« Je suis venu trouver le médecin [...] Les prisons elles-mêmes ne sont pas sûres.»).

Les personnages

Sur l'eau

Le narrateur du récit encadré est un vieux canotier, un homme passionné, « enragé », qui vit toujours près de l'eau, et dès qu'il le peut, sur l'eau ou dans l'eau. D'ailleurs, lorsqu'il parle du fleuve et de la mer, il devient éloquent, presque poète. Ce qui frappe dans l'évocation anonyme de ce grand pêcheur, c'est l'absence de description physique, de portrait ; seules comptent sa passion pour la navigation et sa grande maîtrise du milieu dans quoi, semble-t-il, rien ne peut le surprendre.

La Peur

Après le commandant, dont une fois encore on ne dit quasiment rien, c'est un grand homme à figure brûlée qui prend la parole, à l'aspect grave, un baroudeur-aventurier, « un de ces hommes qu'on sent avoir traversé de longs pays inconnus, au milieu de dangers incessants [...] un de ces hommes qu'on devine trempés dans le courage ». Homme énergique, il parle d'une voix lente, il affirme avoir souvent croisé le péril et la mort, il a même dû défendre sa vie. « Je me suis battu souvent. » Illustrations de ses périples, il a été laissé pour mort par des voleurs, condamné en Amérique, jeté à l'eau au large de la Chine. S'est-il cru perdu que ce fut « sans attendrissement et même sans regrets ». Pourtant, il eut peur à deux reprises, en Afrique et dans une forêt au nord-est de la France.

La Main

Ici, c'est à M. Bermutier, juge d'instruction, que nous avons affaire. Lui aussi ne prononce que des paroles graves, et même sourit « gravement » ; en outre, il se targue d'être « un esprit rationnel ». Brave lui aussi, originaire de la Corse, il a aimé l'esprit de vendetta, il a vu égorger des vieillards et des enfants.

Apparition

Le vieux marquis de La Tour-Samuel (remarquer le patronyme suggérant la noblesse française et l'origine israélite). À quatre-vingt-deux ans, il s'exprime d'une voix légèrement tremblante ; esprit rationnel lui aussi, il ne croit pas aux fantômes et tout au long de son existence, n'a « subi l'horrible épouvante que pendant dix minutes ». Fier, il a attendu sa quatre-vingt-deuxième année pour l'avouer publiquement. Il pense qu'il est permis de ne pas être brave devant les dangers imaginaires, en revanche, face aux dangers véritables, il n'a jamais reculé. Implicitement, il vante son sang-froid, d'autant qu'il s'adresse à un parterre de dames ! Il prévient les objections de son auditoire, « Mais non, je n'ai pas été fou, et je vous en donnerai la preuve. »

Lui ?

On ne connaît guère du héros que son état présent de scripteur, quelques traits de caractère : il a peur aujourd'hui de la solitude, mais autrefois, il fut serein et brave.

Qui sait ?

Nous sommes face à un nouveau scripteur, non d'une lettre, comme le précédent, mais de sa propre histoire ; il écrit depuis la maison de santé où il est interné ; lui aussi a peur. « Philosophe isolé, content de peu », son esprit est demeuré tout le temps lucide, « fonctionnant régulièrement et logiquement ». Celui-ci a vécu en solitaire, par nécessité psychologique : l'agoraphobie, ou peur de la foule, s'emparait de lui. Il se dépeint lui-même comme un introverti, s'attache de préférence aux objets ; c'est un amateur d'antiquités et de curiosités. Noctambule, il ne se déplace qu'armé mais paradoxalement, rentre de nuit depuis dix ans sans jamais éprouver la moindre inquiétude. Nous ne savons rien d'autre de lui, nous n'apprendrons rien d'autre, sinon qu'il a voyagé en Afrique et en Italie et qu'il s'ennuie à Paris.

Pour un autoportrait de Maupassant

Au fil des six textes fantastiques, Guy de Maupassant brosse discrètement son autoportrait en prenant appui sur ses différents narrateurs ; il semble s'être volontairement mis en scène, à travers des contes qui, peut-être plus que d'autres, le concernent ou l'impliquent dans ce qu'il a de plus intime.

L'eau et les voyages

Le narrateur de *Sur l'eau* est un « canotier enragé », « toujours près de l'eau, toujours sur l'eau, toujours dans l'eau » (ligne 6) ; il partage la même passion dévorante que l'auteur pour la navigation fluviale, une attirance ambiguë faite du plaisir de se laisser porter sur l'onde et d'une rêverie de mort : « Il devait être né dans un canot, et il mourra bien certainement dans le canotage final. » (ligne 8). La passion de ce personnage, l'un des voisins de l'auteur, nous dit-on, est exprimée dans les mêmes termes que ceux utilisés par Maupassant chantant la Seine, « Il avait dans le cœur une grande passion, une passion dévorante, irrésistible : la rivière. » (ligne 13). Une rivière séduisante autant que perfide, traîtresse parce qu'elle peut surprendre sans prévenir, à la différence de l'océan tumultueux. Le canotage ne se conçoit pas sans débraillé, ici, l'homme esseulé sur l'eau est un grand « culotteur de pipes » (ligne 84), il abuse sans vergogne de la bouteille de rhum (lignes 113, 165, 206), il est, apprend-on, un bon nageur, qualité dont nous sommes sûrs pour ce qui concerne Maupassant.

Sur l'eau évoque la campagne, celle que l'on trouve à plusieurs lieues de Paris et dans *Une partie de campagne*, tandis que *La Peur* évoque la Méditerranée, l'Afrique (ligne 10), Ouargla (lignes 63 à 77) et les spahis (ligne 78) que le reporter Maupassant a connus dans le Maghreb. Dans *La Main*, c'est de la Corse dont il est question, alors qu'*Apparition* se

fonde sur le temps de garnison à Rouen et que *Lui ?*
reprend sensiblement le même itinéraire que *Bel-Ami* dans
les rues de Paris, de *Madeleine* au faubourg Poissonnière.
De Paris, le narrateur de *Qui sait ?* affirme : « [...] je ne
puis habiter Paris parce que j'y agonise indéfiniment. »
(ligne 32) ; en revanche, la maison évoquée à partir de la
ligne 66 pourrait bien être la Guillette d'Étretat, « Tous mes
domestiques couchaient dans un bâtiment éloigné, au fond
du potager [...] ». On sait qu'à Étretat, le pauvre François
Tassart occupait une grande barque retournée dans le fond
du jardin. Dans *Qui sait ?* encore, le narrateur visite Gênes,
Venise, Florence, Rome, Naples, revient par Marseille : c'est
le voyage autobiographique de Maupassant. Veut-il
brouiller les cartes quand il dit passer par « la Normandie
que je ne connaissais pas » ?

Maupassant le misogyne

Piètre image de la femme, même si allusive, que celle donnée
dans ces contes. Le narrateur de *Lui ?* se montre sans illusion : « Je suis certain que huit maris sur dix sont cocus. »
(ligne 6), et c'est à une véritable profession de foi qu'il se livre
en matière de vie conjugale : « Je considère l'accouplement
légal comme une bêtise. » (ligne 6). On croirait entendre
Guy, le célibataire invétéré tellement choqué dans l'enfance
par les violentes scènes de ménage entre Gustave et Laure !
La seule solution qui vaille, le texte le dit assez explicitement,
c'est l'amour libre, « [...] la fantaisie qui nous pousse sans
cesse à toutes les femmes, etc., etc. Plus que jamais, je me
sens incapable d'aimer une femme, parce que j'aimerai toujours trop toutes les autres. Je voudrais avoir mille bras, mille
lèvres et mille... tempéraments pour pouvoir étreindre en
même temps une armée de ces êtres charmants et sans importance. » (ligne 10). Car pour Guy le séducteur, la femme ne
peut être que cela, un être charmant mais négligeable. Un
être superficiel. Plusieurs femmes entourent M. Bermutier, le
juge d'instruction de *La Main* ; un trait de caractère les
dépeint, leur commune curiosité : « Elles frissonnaient,

vibraient, crispées par leur peur curieuse, par l'avide et insatiable besoin d'épouvante qui hante leur âme, les torture
comme une faim. » (ligne 10). Malheureusement pour elles,
l'énigme de *La Main* demeure intacte à la fin du récit de
Bermutier, et l'une d'elles avoue sa déception de curieuse
contrariée, « Mais ce n'est pas un dénouement cela, ni une
explication ! » (ligne 225). Les auditrices éprouvent un tel
besoin de savoir qu'elles ne pourront dormir si Bermutier
n'en dit pas davantage, et comme il ne peut en dire plus qu'il
n'en sait, une autre conclut, « Non, ça ne doit pas être ainsi. »
(ligne 235). Et nous devinons qu'elle va s'employer à imaginer des explications qui satisfassent son appétit de savoir.

Maupassant observateur de ses symptômes

Sur le mode de la théorie, le narrateur de *Sur l'eau* (ligne 153)
définit un être schizophrénique, tiraillé entre son moi « brave »
et son moi « poltron », « […] et jamais aussi bien que ce jour-là
je ne saisis l'opposition des deux êtres qui sont en nous, l'un vou-
lant, l'autre résistant, et chacun l'emportant tour à tour. » (ligne
154). Il est assez lucide encore pour qualifier son effroi de bête et
d'inexplicable ; il commence à peine à se dédoubler. Le plus souvent, c'est justement un héros rempli de bravoure que peint à
grands traits Maupassant, celui d'*Apparition* menant sa monture à grand trot, fier du bruit cliquetant de son sabre sur sa
botte, ému d'une « de ces joies de vivre qui vous emplissent, on
ne sait pourquoi, d'un bonheur tumultueux et comme insaisissable, d'une sorte d'ivresse de force. » (ligne 96). C'est Guy le
fort Normand, Guy le terrien se fondant physiquement dans la
nature qui apparaît ici, impatient, coléreux face au jardinier qui
ne veut pas ouvrir la propriété, emporté, violent, furieux. Bon
cavalier (ligne 189), il souffre d'angoisse (ligne 247), il a peur,
« J'ai peur de la peur » (*Lui ?*). Peureux, mais pas lâche, « Je n'ai
pas peur d'un danger. » (*Lui ?*, ligne 50), « je ne crois pas au surnaturel. » (ligne 51), « Puisque j'ai peur uniquement parce que je
ne comprends pas ma peur. » (ligne 65). Il a beau savoir, ce *Je* qui
s'analyse, savoir qu'il n'y a personne derrière la porte ou sous le
lit, il éprouve une peur irrationnelle et paradoxale, « bien qu'il

n'y ait rien et que je le sache. » (ligne 72). Deux « moi » s'opposent encore ici, lucides autrefois, « N'est-ce pas affreux, d'être ainsi ? » (ligne 80).

Accablé sans raison (*Lui ?*), pénétré d'une tristesse sans cause, le héros des contes fantastiques se plaint surtout de solitude et d'« impatience nerveuse », et toujours il oscille entre la conscience de pouvoir se dominer « Mais je suis un homme de sang-froid […] » (*Lui ?*, ligne 166) et l'hallucination qui le vainc dans la peur de la nuit (ligne 170). Le sentiment maladif du dédoublement, l'emporte progressivement sur la raison : « Mais si nous étions deux chez moi, je sens, oui, je sens assurément, qu'il n'y serait plus ! Car il est là encore parce que je suis seul, uniquement parce que je suis seul ! » (*Lui ?*, ligne 262).

Solitaire, rêveur, philosophe isolé, bienveillant et content de peu, le personnage principal de *Qui sait ?* met en avant son amour de la solitude, ce qui contredit les déclarations du précédent narrateur, celui-ci quête plutôt l'isolement et le calme et ne peut vivre dans la capitale. Un point commun cependant les unit, ils traversent « de singulières éclipses de la raison » (*Qui sait ?*, ligne 39). Le trouble se précise, « Il me semble que j'entends passer des trains, que j'entends sonner des cloches, que j'entends marcher une foule. » (ligne 129).

Les paroles contradictoires des narrateurs ne doivent pas nous égarer ; à travers elles, c'est bien un même et seul Maupassant qui écrit et tente d'exprimer la montée de ses symptômes. Pour l'heure, il connaît des phases de crise et de répit ; la maladie ne l'a pas encore terrassé dans la clinique du docteur Blanche, la preuve, il peut encore la suivre par l'écriture.

Correspondances

Pour un autoportrait de Maupassant

- Guy de Maupassant, *La Chevelure*.
- Guy de Maupassant, *En famille*.
- Guy de Maupassant, *Au printemps*.
- Guy de Maupassant, *Le Bonheur*.
- Guy de Maupassant, *Le Horla*.
- Guy de Maupassant, *Journal*.

1

« Jusqu'à l'âge de trente-deux ans, je vécus tranquille, sans amour. La vie m'apparaissait très simple, très bonne et très facile. J'étais riche. J'avais du goût pour tant de choses que je ne pouvais éprouver de passion pour rien. C'est bon de vivre ! Je me réveillais heureux, chaque jour, pour faire des choses qui me plaisaient, et je me couchais satisfait, avec l'espérance paisible du lendemain et de l'avenir sans souci.

J'avais eu quelques maîtresses sans avoir jamais senti mon cœur affolé par le désir ou mon âme meurtrie d'amour après la possession. C'est bon de vivre ainsi. C'est meilleur d'aimer, mais terrible. Encore, ceux qui aiment comme tout le monde doivent-ils éprouver un ardent bonheur, moindre que le mien peut-être, car l'amour est venu me trouver d'une incroyable manière.

Étant riche, je recherchais les meubles anciens et les vieux objets ; et souvent je pensais aux mains inconnues qui avaient palpé ces choses, aux yeux qui les avaient admirées, aux cœurs qui les avaient aimées, car on aime les choses ! Je restais souvent pendant des heures, des heures et des heures, à regarder une petite montre du siècle dernier. Elle était si mignonne, si jolie, avec son émail et son or ciselé. Et elle marchait encore comme au jour où une femme l'avait achetée dans le ravissement de posséder ce fin bijou. »

Guy de Maupassant, *La Chevelure*.

2

« Et il revit soudain sa mère, autrefois, dans son enfance à lui, courbée à genoux devant leur porte, là-bas, en Picardie, et lavant au mince cours d'eau qui traversait le jardin le linge en tas à côté d'elle. Il entendait son battoir dans le silence tranquille de la campagne, sa voix qui criait : – "Alfred, apporte-moi du savon." Et il sentait cette même odeur d'eau qui coule, cette même brume envolée des terres ruisselantes, cette buée marécageuse dont la saveur était restée en lui, inoubliable, et qu'il retrouvait justement ce soir-là même où sa mère venait de mourir.

Il s'arrêta, raidi dans une reprise de désespoir fougueux. Ce fut comme un éclat de lumière illuminant d'un seul coup toute l'étendue de son malheur ; et la rencontre de ce souffle errant le jeta dans l'abîme noir des douleurs irrémédiables. Il sentit son cœur déchiré par cette séparation sans fin. Sa vie était coupée au milieu ; et sa jeunesse entière disparaissait engloutie dans cette mort. Tout l'autrefois était fini ; tous les souvenirs d'adolescence s'évanouissaient ; personne ne pourrait plus lui parler des choses anciennes, des gens qu'il avait connus jadis, de son pays, de lui-même, de l'intimité de sa vie passée ; c'était une partie de son être qui avait fini d'exister ; à l'autre de mourir maintenant. »

Guy de Maupassant, *En famille.*

3

« C'était l'an dernier, à pareille époque. Je dois vous dire, d'abord, monsieur, que je suis employé au ministère de la Marine, où nos chefs, les commissaires, prennent au sérieux leurs galons d'officiers plumitifs pour nous traiter comme des gabiers. – Ah ! si tous les chefs étaient civils – mais je passe. – Donc j'apercevais de mon bureau un petit bout de ciel tout bleu où volaient des hirondelles ; et il me venait des envies de danser au milieu de mes cartons noirs. Mon désir de liberté grandit tellement que, malgré ma répugnance, j'allai trouver mon singe. C'était un petit grincheux toujours en colère. Je me dis malade. Il me regarda dans le nez et cria : – "Je n'en crois rien, monsieur. Enfin, allez-vous-en ! Pensez-vous qu'un bureau peut marcher avec des employés pareils ?"
Mais je filai, je gagnai la Seine. Il faisait un temps comme aujourd'hui ; et je pris la Mouche pour faire un tour à Saint-Cloud.
"Ah ! monsieur ! comme mon chef aurait dû m'en refuser la permission !"
Il me sembla que je me dilatais sous le soleil. J'aimais tout, le bateau, la rivière, les arbres, les maisons, mes voisins, tout. J'avais envie d'embrasser quelque chose, n'importe quoi : c'était l'amour qui préparait son piège. »

Guy de Maupassant, *Au printemps.*

4

« Mais tout à coup quelqu'un, ayant les yeux fixés au loin, s'écria : – Oh ! voyez, là-bas, qu'est-ce que c'est ?
Sur la mer, au fond de l'horizon, surgissait une masse grise, énorme et confuse.
Les femmes s'étaient levées et regardaient sans comprendre cette chose surprenante qu'elles n'avaient jamais vue.
Quelqu'un dit :
– C'est la Corse ! On l'aperçoit ainsi deux ou trois fois par an dans

certaines conditions d'atmosphère exceptionnelles, quand l'air, d'une limpidité parfaite, ne la cache plus par ces brumes de vapeur d'eau qui voilent toujours les lointains. [...]

Je fis, voilà cinq ans, un voyage en Corse. Cette île sauvage est plus inconnue et plus loin de nous que l'Amérique, bien qu'on la voie quelquefois des côtes de France, comme aujourd'hui.

Figurez-vous un monde encore en chaos, une tempête de montagnes que séparent des ravins étroits où roulent des torrents ; pas une plaine, mais d'immenses vagues de granit et de géantes ondulations de terre couvertes de maquis ou de hautes forêts de châtaigniers et de pins. C'est un sol vierge, inculte, désert, bien que parfois on aperçoive un village pareil à un tas de rochers au sommet d'un mont. Point de culture, aucune industrie, aucun art. On ne rencontre jamais un morceau de bois travaillé, un bout de pierre sculptée, jamais le souvenir du goût enfantin ou raffiné des ancêtres pour les choses gracieuses et belles. C'est là même ce qui frappe le plus en ce superbe et dur pays : l'indifférence héréditaire pour cette recherche des formes séduisantes qu'on appelle art. »

Guy de Maupassant, Le Bonheur.

–5

« Donc, je revins malgré moi, sûr que j'allais trouver, dans ma maison, une mauvaise nouvelle, une lettre ou une dépêche. Il n'y avait rien ; et je demeurai plus surpris et plus inquiet que si j'avais eu de nouveau quelque vision fantastique.

8 août. – J'ai passé hier une affreuse soirée. Il ne se manifeste plus, mais je le sens près de moi, m'épiant, me regardant, me pénétrant, me dominant et plus redoutable, en se cachant ainsi, que s'il signalait par des phénomènes surnaturels sa présence invisible et constante.

J'ai dormi, pourtant.

9 août. – Rien, mais j'ai peur.

10 août. – Rien ; qu'arrivera-t-il demain ?

11 août. – Toujours rien ; je ne puis plus rester chez moi avec cette crainte et cette pensée entrées en mon âme ; je vais partir.

12 août, 10 heures du soir. – Tout le jour j'ai voulu m'en aller ; je n'ai pas pu. J'ai voulu accomplir cet acte de liberté si facile, si simple – sortir – monter dans ma voiture pour gagner Rouen – je n'ai pas pu. Pourquoi ?

13 août. – Quand on est atteint par certaines maladies, tous les ressorts de l'être physique semblent brisés, toutes les énergies anéanties, tous les muscles relâchés, les os devenus mous comme la chair et la chair liquide comme de l'eau. J'éprouve cela dans mon être moral d'une façon étrange et désolante. Je n'ai plus aucune force, aucun courage, aucune domination sur moi, aucun pouvoir même de mettre en mouvement ma volonté. Je ne peux plus vouloir ; mais quelqu'un veut pour moi ; et j'obéis. »

Guy de Maupassant, *Le Horla*.

—6

« Soudain quelque chose grinça. Quoi ? je ne sais, une poulie dans la mâture, sans doute ; mais le ton si doux, si douloureux, si plaintif de ce bruit fit tressaillir toute ma chair ; puis rien, un silence infini allant de la terre aux étoiles ; rien, pas un souffle, pas un frisson de l'eau ni une vibration du yacht ; rien, puis tout à coup l'inconnaissable et si grêle gémissement recommença. Il me sembla, en l'entendant, qu'une lame ébréchée sciait mon cœur. Comme certains bruits, certaines notes, certaines voix nous déchirent, nous jettent en une seconde dans l'âme tout ce qu'elle peut contenir de douleur, d'affolement et d'angoisse. J'écoutais attendant, et je l'entendis encore, ce bruit qui semblait sorti de moi-même, arraché à mes nerfs, ou plutôt qui résonnait en moi comme un appel intime, profond et désolé ! Oui, c'était une voix cruelle, une voix connue, attendue, et qui me désespérait. Il passait sur moi ce son faible et bizarre, comme un semeur d'épouvante et de délire, car il eut aussitôt la puissance d'éveiller l'affreuse détresse sommeillant toujours au fond du cœur de tous les vivants. Qu'était-ce ? C'était la voix qui crie sans fin dans notre âme et qui nous reproche d'une façon continue, obscurément et douloureusement torturante, harcelante, inconnue, inapaisable, inoubliable, féroce, qui nous reproche tout ce que nous avons fait et en même temps tout ce que nous n'avons pas fait, la voix des vagues remords, des regrets sans retours, des jours finis, des femmes rencontrées qui nous auraient aimé peut-être, des choses disparues, des joies vaines, des espérances mortes ; la voix de ce qui passe, de ce qui fuit, de ce qui trompe, de ce qui disparaît, de ce que nous n'avons pas atteint, de ce que nous n'atteindrons jamais, la maigre petite voix qui crie l'avortement de la vie, l'inutilité de l'effort, l'impuissance de l'esprit et la faiblesse de la chair.

Elle me disait dans ce court murmure, toujours recommençant, après les mornes silences de la nuit profonde, elle me disait tout ce que j'aurais aimé, tout ce que j'avais confusément désiré, attendu, rêvé, tout ce que j'aurais voulu voir, comprendre, savoir, goûter, tout ce que mon insatiable et pauvre et faible esprit avait effleuré d'un espoir inutile, tout ce vers quoi il avait tenté de s'envoler, sans pouvoir briser la chaîne d'ignorance qui le tenait.

Ah ! j'ai tout convoité sans jouir de rien. Il m'aurait fallu la vitalité d'une race entière, l'intelligence diverse éparpillée sur tous les êtres, toutes les facultés, toutes les forces, et mille existences en réserve, car je porte en moi tous les appétits et toutes les curiosités, et je suis réduit à tout regarder sans rien saisir.

Pourquoi donc cette souffrance de vivre alors que la plupart des hommes n'en éprouvent que la satisfaction ? Pourquoi cette torture inconnue qui me ronge ? Pourquoi ne pas connaître la réalité des plaisirs, des attentes et des jouissances ?

C'est que je porte en moi cette seconde vue qui est en même temps la force et toute la misère des écrivains. J'écris parce que je comprends et je souffre de tout ce qui est, parce que je le connais trop et surtout parce que, sans le pouvoir goûter, je le regarde en moi-même, dans le miroir de ma pensée. »

Guy de Maupassant, *Sur l'eau*, in *Journal*.

Les descriptions, stratégies et valeurs

Sous le signe de l'eau

Au bord de la Seine (l'expression est répétée deux fois), le narrateur de *Sur l'eau* s'attarde ; dans ce conte, à la différence de bien d'autres, il porte un regard négatif sur le fleuve, « [...] et c'est en effet le plus sinistre des cimetières, celui où l'on n'a point de tombeau. » (ligne 24). Il joue sur une valence bien connue de tous les observateurs de cours d'eau, la mort que trop souvent on y rencontre par noyade ; de plus, il annonce la chute de la nouvelle, le repêchage du corps d'une vieille femme au petit matin. Sans lune, la rivière (terme péjoratif pour désigner la Seine) est « illimitée », elle n'a « que des profondeurs noires où l'on pourrit dans la vase. » (ligne 37).

L'eau, ici, est lieu de deuil, espace fuyant et maléfique où les roseaux murmurent on ne sait quoi. Rien à voir avec la franchise de l'océan, rien de commun entre les « histoires chuchotées par les roseaux » (ligne 47) et les « drames lugubres racontés par les hurlements des vagues. » (ligne 49) ; autrement dit, entre l'angoisse fantastique de Maupassant et le souffle épique du vieil Hugo. Chez Maupassant, l'eau se peuple le soir venu de « chanteurs nocturnes des marécages » (ligne 80), « eau noire » (ligne 144), étale et croupissante, eau morte dont les profondeurs et la vie végétale sont des forces destructrices.

L'éclairage lunaire

Véritable motif, la lune éclaire les contes fantastiques de Maupassant. Elle met en valeur des « groupes de roseaux » (ligne 75), sous son faisceau, ils prennent « des figures surprenantes » ; elle couvre la plaine de sa pâleur, organise un « étonnant spectacle » (ligne 180), des « fantasmagories du pays des fées » (ligne 181), « paysage tellement extraordinaire » pour le narrateur attardé (ligne 198). Dans *La Peur*, la lune revient, à la surface de la Méditerranée, cette fois, qu'elle transforme en moire quand elle n'ensemence pas le ciel d'étoiles (ligne 3). La lune, on le voit, permet toutes les métaphores, magies de la langue autorisées par celle de l'astre nocturne. La peur est « fille du Nord ; le soleil la dissipe [...] » (ligne 55). Le personnage d'*Apparition* regagnant de nuit son logis est victime des sortilèges lunaires qui l'apeurent : « [...] les objets que je distingue mal dans l'ombre du soir me donnent une envie folle de me sauver. » (ligne 16).

C'est cependant avec *Qui sait ?* que Maupassant analyse plus précisément le rapport qu'il entretient avec la lune : « [...] le ciel s'éclaircit un peu devant moi et le croissant parut, le triste croissant du dernier quartier de lune. Le croissant du premier quartier, celui qui se lève à quatre ou cinq heures du soir, est clair, gai, frotté d'argent, mais celui qui se lève après minuit est rougeâtre, morne, inquiétant ; c'est le vrai croissant du Sabbat. » (ligne 86). Ce dernier mot suffit à connoter l'ambiance lunaire ; déjà elle est fantastique, surnaturelle, elle balaie un monde anormal, à tout le moins différent et secret, voire interdit.

La lune métamorphose ; sur les massifs du jardin familier pourtant, elle dessine « [...] des taches ovales aux nuances indistinctes. » (ligne 105), et quand Maupassant veut décrire un personnage antipathique, l'antiquaire de la rue Eau-de-Robec, receleur de ses meubles volés, c'est à la lune qu'il recourt ; à la faveur d'une bougie, « [...] son crâne m'apparut comme une petite lune [...] » (ligne 348).

Une imprécision dominante

L'auteur ne s'encombre guère de précisions, l'action de *Sur l'eau* se situe « à plusieurs lieues de Paris » (ligne 2), de son canot, l'homme aperçoit la pointe des roseaux « là-bas » (ligne 64), deux cents mètres « environ » avant le pont de chemin de fer. Un chien hurlait « très loin », lune et nuit gomment les repères et les distances, le désert agit de même, le tambour de *La Peur* bat « indistinctement », « tambour insaisissable » (lignes 87 et 94), mirage auditif.

Le marcheur noctambule de *Qui sait ?* rentre chez lui comme il en a pourtant l'habitude, mais il ne saurait évaluer la distance séparant l'octroi de son logis avec précision, « [...] il y a un kilomètre environ, peut-être un peu plus, soit vingt minutes de marche lente. » (ligne 83). À la difficulté de mesurer l'espace, il pallie en mesurant le temps et la lune une fois encore le trompe, « J'aperçus au loin la masse sombre de mon jardin, et je ne sais d'où me vint une sorte de malaise à l'idée d'entrer là-dedans. » (ligne 96).

Dans le même ordre d'idées, on ne peut que remarquer la rapidité sommaire avec laquelle est brossé le portrait des personnages ; ceux de *La Peur* forment un « inoubliable tableau » (ligne 141) : « Un vieux homme à cheveux blancs, à l'œil fou [...] deux grands gaillards, armés de haches [...] » (ligne 143). Seul le chien, personnifié, nous inspire quelque sympathie, « [...] presque aveugle et moustachu, un de ces chiens qui ressemblent à des gens qu'on connaît [...] » (ligne 161). En revanche, la personnification du judas avec sa « tête barbue » (ligne 232) ne nous inspire aucune confiance.

John Rowell (*La Main*) est le stéréotype de l'Anglais, « un grand homme à cheveux rouges, à barbe rouge, très haut, très large, une sorte d'hercule placide et poli. » (ligne 87). La revenante d'*Apparition* n'est rien d'autre qu'une « grande femme vêtue de blanc » (ligne 181), sa chevelure compte plus qu'elle, et nous ne saurons rien non plus de l'ami endormi dans le fauteuil de *Lui ?*, pourtant, le narrateur affirme le voir « parfaitement » (ligne 150). Il n'en décrit qu'un de ses bras « pendant à droite », ses pieds « croisés l'un sur l'autre ; sa tête penchée un peu sur le côté gauche [...] » (ligne 151). Nous ne saurons rien de lui, parce qu'il n'existe pas, et Maupassant le sait !

Plus de détails pour l'antiquaire véreux : « [...] un tout petit homme, tout petit et très gros, gros comme un phénomène, un hideux phénomène. Il avait une barbe rare, aux poils inégaux, clairsemés et jaunâtres, et pas un cheveu sur la tête ! Pas un cheveu ! » (ligne 342).

Les figures de style

Le style de la description est poétique, les leçons de Flaubert ont porté. L'exotisme de Ouargla (*La Peur*), Maupassant nous invite à l'imaginer : « figurez-vous » (ligne 66), « imaginez » (ligne 67). La métaphore préside, les dunes du désert sont comme nos océans : « [...] l'océan lui-même devenu sable au milieu d'un ouragan [...] une tempête silencieuse de vagues immobiles en poussière jaune. Elles sont hautes comme des montagnes, ces vagues inégales, différentes, soulevées tout à fait comme des flots déchaînés, mais plus grandes encore, et striées comme de la moire. »

Plusieurs figures de style viennent soutenir la représentation visuelle qu'il nous est demandé de concevoir, la métaphore filée appuyée de trois comparaisons, le champ lexical de la mer, la gradation et l'amplitude de la phrase. Les mêmes procédés valent un peu plus loin, « [...] le dévorant soleil du sud verse sa flamme implacable et directe. Il faut gravir ces lames de cendre d'or, redescendre, gravir encore, gravir sans cesse, sans repos et sans ombre. » (ligne 72).

La personnification est fréquente, « gémissement de souf-france » de la forêt, « la branchure [...] emplissait la nuit d'une rumeur incessante » (*La Peur*, ligne 136), etc.

À l'inverse (*Qui sait ?*), les objets déménagent en se parant d'atours animaux, dans un paragraphe non plus fantastique, mais merveilleux (ligne 169) : « mon grand fauteuil de lec-ture, qui sortait en se dandinant. Il s'en alla par le jardin. D'autres le suivaient, ceux de mon salon, puis les canapés bas se traînant comme des crocodiles sur leurs courtes pattes, puis toutes mes chaises, avec des bonds de chèvres, et les petits tabourets qui trottaient comme des lapins. [...] mon grand piano à queue, passa avec un galop de cheval emporté et un murmure de musique dans le flanc [...] ».

L'amplification rétablit le fantastique dans ses droits, « Les étoffes rampaient, s'étalaient en flaques à la façon des pieuvres de la mer. [...] les autres passèrent sur mon corps ainsi qu'une charge de cavalerie sur un soldat démonté. »

Naturalisme et fantastique

Au centre de *La Main*, alors que la région d'Ajaccio dans laquelle le conte prend place est à peine esquissée, un nou-veau motif s'impose, un objet, la main d'écorché décrite avec la précision anatomique d'un légiste ou d'un écrivain natu-raliste : « [...] une main noire desséchée, avec des ongles jaunes, les muscles à nu et des traces de sang ancien, de sang pareil à une crasse, sur les os coupés net, comme d'un coup de hache, vers le milieu de l'avant-bras. » (ligne 126).

Quant au fantastique, Maupassant ne se contente pas de le suggérer et de lui offrir un cadre dans la description, il le nomme à la manière d'un métalangage, « le pays des mirages et des fantasmagories », « des imaginations fantas-tiques », « étonnant spectacle », « fantasmagories du pays des fées » (*Sur l'eau*), « roulement fantastique » du tam-bour (*La Peur*), rue Eau-de-Robec « fantastique et cruelle » (*Qui sait ?*).

L'atmosphère dominante est obscure, « Il faisait noir, noir, mais noir au point que je distinguais à peine la grande route

[...] » (*Qui sait ?*, ligne 80), « Le gros tas d'arbres avait l'air d'un tombeau où ma maison était ensevelie. » (ligne 98).

Le noir, précisément, permet au fantastique de s'installer, il favorise l'hésitation, l'indécision du héros et la nôtre ; celui de *Lui ?* éprouve l'incessant besoin d'éclairer son appartement pour nous dire ce qu'il voit, à la lueur d'une bougie ou d'une simple allumette. Et toutes ces scènes s'impriment dans la nuit de Maupassant, de Guy le noctambule dont les yeux souffraient et ne supportaient pas une lumière trop violente.

L'amour des objets

Maupassant aimait les objets, dont il s'entourait en connaisseur, exhibant volontiers sa canne sous l'œil mi-inquiet mi-amusé de ses amis, se vantant de l'acquisition d'un extraordinaire parapluie dans telle boutique du faubourg Saint-Honoré, voire d'en avoir fait acheter trois cents par l'entourage de la princesse Mathilde.

Lorsque vers 1885 il s'est installé au 10 de la rue Montchanin (aujourd'hui rue Jacques-Bingen), il a décoré son appartement de faïences de Rouen d'une peau d'ours, d'un traîneau hollandais, d'une chasuble, d'innombrables bibelots, de bouddhas et de statues de saints.

Edmond de Goncourt, dans son *Journal* du 18 décembre 1884, dresse l'inventaire des lieux : « L'invraisemblable et étrange mobilier ! Cré matin, le bon mobilier de putain. C'est celui de Guy de Maupassant dont je parle... Figurez-vous, chez un homme, des boiseries bleu de ciel avec des bandes marron, une glace de cheminée à demi voilée par un rideau de peluche, une garniture en porcelaine bleu turquoise de Sèvres, de ce Sèvres monté en cuivre, particulier aux magasins où l'on achète des mobiliers d'occasion, et des dessus-de-porte composés de têtes d'anges en bois colorié d'une ancienne église d'Étretat [...] Vraiment ce n'est pas juste à Dieu d'avoir donné à un homme de talent un si exécrable goût. »

Le rapprochement avec le titre de *Qui sait ?* s'impose. Arrivé dans le quartier des antiquaires de Rouen, le personnage de la nouvelle voit s'entasser « les bahuts sculptés, les faïences de Rouen, de Nevers, de Moustiers, des statues peintes, d'autres en chêne, des christs, des vierges, des saints, des ornements d'église, des chasubles, des chapes [...] oh ! les singulières cavernes [...] » (ligne 280).

Maupassant comme son narrateur nourrissent, on le voit, une prédilection pour les objets sacrés détournés de leur fonction. Le narrateur de *Qui sait ?* avoue son attachement pour les objets inanimés – peut-être, comme le poète, se demande-t-il s'ils ont une âme ; celui de *Lui ?* confesse sa peur des murs et des meubles, « [...] des objets familiers qui s'animent, pour moi, d'une sorte de vie animale. » (ligne 58) : le fauteuil vide de son inexplicable occupant ! John Rowell abaisse la main de son ennemi au rang d'objet de décoration, il ne sait pas encore qu'elle deviendra l'objet... d'un meurtre ! De loin, c'est le héros de *Qui sait ?* qui entretient le rapport le plus étrange avec ses objets, que tour à tour le récit personnifie et animalise : « Je distinguais, à présent, un extraordinairement piétinement [...] non pas de chaussures, de souliers humains, mais de béquilles, de béquilles de bois et de béquilles de fer qui vibraient comme des cymbales. Et voilà que j'aperçus tout à coup, sur le seuil de ma porte, un fauteuil, mon grand fauteuil de lecture, qui sortait en se dandinant. Il s'en alla par le jardin. D'autres le suivaient, ceux de mon salon, puis les canapés bas se traînant comme des crocodiles sur leurs courtes pattes, puis toutes mes chaises, avec des bonds de chèvres, et les petits tabourets qui trottaient comme des lapins [...] Mon piano, mon grand piano à queue, passa avec un galop de cheval emporté et un murmure de musique dans le flanc, les moindres objets glissaient sur le sable comme des fourmis, les brosses, les cristaux, les coupes, où le clair de lune accrochait des phosphorescences de vers luisants. » (ligne 165).

Le défilé naît à la manière d'un conte musical, l'éclairage lunaire lui confère son aspect fantastique et inquiétant.

La peur en noir et blanc

Les tonalités d'une toile, celles que nous propose *Sur l'eau* sont le plus souvent blanches ; royaume du brouillard, tout aussi fantastique que la lune, l'adjectif « blanc », les substantifs « blancheur » et « coton », la métaphore d'un ciel laiteux sont le fait de l'éclairage de la lune jouant avec le brouillard. Veut-il tenter de définir la peur que Maupassant fait dire au narrateur de *La Peur* : « le soleil la dissipe comme un brouillard ». Précisément, les moments de bonheur et d'harmonie avec la nature sont rarissimes. *Apparition* en saisit un, éphémère, fugace comme la chevauchée qu'elle suggère, « Il faisait un temps radieux, et j'allais au grand trot à travers les prairies, écoutant des chants d'alouettes […] » Rare moment de bien-être, à la vérité.

Le noir alterne avec le blanc sur cette palette de névrosé, la rivière nocturne devient le « plus sinistre des cimetières », la rivière « n'a que des profondeurs noires », les expressions « cette eau noire » et « l'épaisseur du noir » parcourent le texte de *Sur l'eau*. Le bateau de *La Peur* n'est qu'un « grand serpent de fumée noire », la rue Eau-de-Robec (*Qui sait ?*) est barrée d'une « rivière noire comme de l'encre », ce « cours d'eau sinistre », la tendresse du narrateur pour les bibelots « se réveillait dans cette cité d'antiquaires », « au fond des noirs magasins ». Noirs, ces repères, comme les desseins des brigands qui s'y terrent.

Sur cette toile noire et blanche comme le désespoir final de Nerval, bat le son des peurs insurmontées, on « entend des bruits que l'on ne connaît pas » (*Sur l'eau*), les roseaux chuchotent des histoires, les vagues racontent des drames lugubres, le bruit du tambour des dunes (*La Peur*) est multiplié « démesurément enflé par les vallonnements des dunes, d'une grêle de grains de sables emportés dans le vent et heurtant une touffe d'herbes sèches », « la branchure des arbres entrechoqués emplissait la nuit d'une rumeur incessante ». Des hurlements font « tressaillir les voyageurs le soir dans les campagnes » (*La Peur*). Et dans cette rue rouennaise encore, où tout le destin de Maupassant semble converger et échouer, il ne peut se défaire de ces toits « où grinçaient encore les girouettes du passé ».

L'objet, le texte ; le texte avec l'objet prennent des allures de plus en plus inquiétantes, la main-trophée de sir John Rowell est décrite avec complaisance sur le mode d'une leçon d'anatomie, « Non pas une main de squelette, blanche et propre, mais une main noire desséchée, avec des ongles jaunes, les muscles à nu et des traces de sang ancien, de sang pareil à une crasse, sur les os coupés net, comme d'un coup de hache, vers le milieu de l'avant-bras. » (ligne 125).

Tout y est, le noir, le jaune, le blanc des terreurs de Maupassant, le rouge aussi, plus rare mais présent déjà sur « la rivière lamée de feu » de *Sur l'eau*, le rougeâtre du dernier croissant de lune.

Correspondances

L'importance de l'objet dans la littérature du XIXe siècle

- Théophile Gautier, *Le Pied de momie*.
- Edgar Poe, *Le Portrait ovale*.
- Nicolas Gogol, *Le Manteau*.
- Guy de Maupassant, *Le Parapluie*.

—1—

« J'étais entré par désœuvrement chez un de ces marchands de curiosités dits marchands de bric-à-brac dans l'argot parisien, si parfaitement inintelligible pour le reste de la France.

Vous avez sans doute jeté l'œil, à travers le carreau, dans quelques-unes de ces boutiques devenues si nombreuses depuis qu'il est de mode d'acheter des meubles anciens, et que le moindre agent de change se croit obligé d'avoir dans sa chambre Moyen Âge.

C'est quelque chose qui tient à la fois de la boutique du ferrailleur, du magasin du tapissier, du laboratoire de l'alchimiste et de l'atelier du peintre ; dans ces antres mystérieux où les volets filtrent un prudent demi-jour, ce qu'il y a de plus notoirement ancien, c'est la poussière ; les toiles d'araignées y sont plus authentiques que les guipures, et le vieux poirier y est plus jeune que l'acajou arrivé hier d'Amérique.

Le magasin de mon marchand de bric-à-brac était un véritable Capharnaüm ; tous les siècles et tous les pays semblaient s'y être donné rendez-vous ; une lampe étrusque de terre rouge posait sur une armoire de Boulle, aux panneaux d'ébène sévèrement rayés de filaments de cuivre ; une duchesse du temps de Louis XV allongeait nonchalamment ses pieds de biche sous une épaisse table du règne de Louis XIII, aux lourdes spirales de bois de chêne, aux sculptures entremêlées de feuillages et de chimères.

Une armure damasquinée de Milan faisait miroiter dans un coin le ventre rubané de sa cuirasse ; des amours et des nymphes de biscuit, des magots de la Chine, des cornets de céladon et de craquelé, des tasses de Saxe et de vieux Sèvres encombraient les étagères et les encoignures.

Sur les tablettes denticulées des dressoirs, rayonnaient d'immenses plats du Japon, aux dessins rouges et bleus, relevés de hachures d'or, côte à côte avec des émaux de Bernard Palissy, représentant des couleuvres, des grenouilles et des lézards en relief.

Des armoires éventrées s'échappaient des cascades de lampas glacés d'argent, des flots de brocatelle criblée de grains lumineux par un oblique rayon de soleil ; des portraits de toutes les époques souriaient à travers leur vernis jaune dans des cadres plus ou moins fanés.

Le marchand me suivait avec précaution dans le tortueux passage pratiqué entre les piles de meubles, abattant de la main l'essor hasardeux des basques de mon habit, surveillant mes coudes avec l'attention inquiète de l'antiquaire et de l'usurier.

C'était une singulière figure que celle du marchand : un crâne immense, poli comme un genou, entouré d'une maigre auréole de cheveux blancs que faisait ressortir plus vivement le ton saumon clair de la peau, lui donnait un faux air de bonhomie patriarcale, corrigée, du reste, par le scintillement de deux petits yeux jaunes qui trèmblotaient dans leur orbite comme deux louis d'or sur du vif-argent. La courbure du nez avait une silhouette aquiline qui rappelait le type oriental ou juif. Ses mains maigres, fluettes, veinées, pleines de nerfs en saillie comme les cordes d'un manche à violon, onglées de griffes semblables à celles qui terminent les ailes membraneuses des chauves-souris, avaient un mouvement d'oscillation sénile, inquiétant à voir ; mais ces mains agitées de tics fiévreux devenaient plus fermes que des tenailles d'acier ou des pinces de homard dès qu'elles soulevaient quelque objet précieux, une coupe d'onyx, un verre de Venise ou un plateau de cristal de Bohême ; ce vieux drôle avait un air si profondément rabbinique et cabalistique qu'on l'eût brûlé sur la mine, il y a trois siècles. »

Théophile Gautier, *Le Pied de momie.*

2

« Je lus longtemps, – longtemps ; – je contemplai religieusement, dévotement ; les heures s'envolèrent, rapides et glorieuses, et le profond minuit arriva. La position du candélabre me déplaisait, et, étendant la main avec difficulté pour ne pas déranger mon valet assoupi, je plaçai l'objet de manière à jeter les rayons en plein sur le livre.

Mais l'action produisit un effet absolument inattendu. Les rayons de nombreuses bougies (car il y en avait beaucoup) tombèrent alors sur une niche de la chambre que l'une des colonnes du lit avait jusquelà couverte d'une ombre profonde. J'aperçus dans une vive lumière une peinture qui m'avait d'abord échappé. C'était le portrait d'une jeune fille déjà mûrissante et presque femme. Je jetai sur la peinture un coup d'œil rapide, et je fermai les yeux. Pourquoi – je ne le compris pas bien moi-même tout d'abord. Mais pendant que mes paupières restaient closes, j'analysai rapidement la raison qui me les faisait fermer ainsi. C'était un mouvement involontaire pour gagner du temps et pour penser, – pour m'assurer que ma vue ne m'avait pas trompé, – pour calmer et préparer mon esprit à une contemplation plus froide et plus sûre. Au bout de quelques instants, je regardai de nouveau la peinture fixement. »

Edgar Poe, *Le Portrait ovale*.

3

« Pétrovitch le suivit et, s'arrêtant dans la rue, il regarda longtemps encore le manteau de loin, puis il s'écarta exprès, emprunta une ruelle de traverse pour courir de nouveau en direction de la rue et regarder encore son manteau sous un autre angle, cette fois, carrément de face. Pendant ce temps, Akaki Akakiévitch marchait en jubilant de tous ses sens. Il sentait à chaque fraction de seconde qu'il portait sur ses épaules un nouveau manteau et, plusieurs fois, il ricana même en éprouvant une satisfaction intérieure. En effet, ce manteau offrait deux avantages : d'une part il était chaud, d'autre part il était beau. Il ne fit aucune attention à ce chemin et se retrouva soudain au ministère.

Dans le hall d'entrée, il ôta son manteau, le regarda sous toutes les coutures et le confia à la surveillance particulière de l'huissier. On ne sait de quelle façon tout le monde apprit soudain au ministère qu'Akaki Akakiévitch avait un nouveau manteau et que sa vieille capote n'existait plus. À l'instant même, tous se précipitèrent dans le hall pour voir le nouveau manteau d'Akaki Akakiévitch. On le félicita, on le complimenta, au point qu'au début il se contenta de sourire, puis il en fut même honteux. Et après que tout le monde fut allé le voir, on lui dit qu'il fallait arroser ce nouvel achat et qu'il devait au moins offrir une soirée à tout le monde : Akaki Akakiévitch fut complètement affolé ; il ne savait quelle attitude adopter, que répondre et comment trouver un prétexte pour refuser. »

Nicolas Gogol, *Le Manteau*.

-4

« Or, pendant deux ans, il vint au bureau avec le même parapluie rapiécé qui donnait à rire à ses collègues. Las enfin de leurs quolibets, il exigea que Mme Oreille lui achetât un nouveau parapluie. Elle en prit un de huit francs cinquante, article de réclame d'un grand magasin. Des employés en apercevant cet objet jeté dans Paris par milliers recommencèrent leurs plaisanteries, et Oreille en souffrit horriblement. Le parapluie ne valait rien. En trois mois, il fut hors de service, et la gaieté devint générale dans le ministère. On fit même une chanson qu'on entendait du matin au soir, du haut en bas de l'immense bâtiment.

Oreille, exaspéré, ordonna à sa femme de lui choisir un nouveau riflard, en soie fine, de vingt francs, et d'apporter une facture justificative.

Elle en acheta un de dix-huit francs et déclara, rouge d'irritation, en le remettant à son époux :

« Tu en as là pour cinq ans au moins. »

Oreille, triomphant, obtint un vrai succès au bureau.

Lorsqu'il rentra le soir, sa femme, jetant un regard inquiet sur le parapluie, lui dit :

« Tu ne devrais pas le laisser serré avec l'élastique, c'est le moyen de couper la soie. C'est à toi d'y veiller, parce que je ne t'en achèterai pas un de si tôt. »

Elle le prit, dégrafa l'anneau et secoua les plis. Mais elle demeura saisie d'émotion. Un trou rond, grand comme un centime, lui apparut au milieu du parapluie. C'était une brûlure de cigare ! »

Guy de Maupassant, *Le Parapluie*.

Le fantastique de Maupassant

La Peur et les cinq autres textes ici réunis sont présentés sous l'appellation générique de « contes fantastiques », c'est-à-dire qu'ils entreraient dans le même genre littéraire. C'est à la définition de Tzvetan Todorov *(Introduction à la littérature fantastique)* qu'il nous faut les confronter afin de les situer dans ce courant, en d'autres termes, arrêter une norme et éventuellement repérer un écart.

La définition de Todorov

Quand le fantastique survient-il ? Et où intervient-il ? Toujours, écrit Todorov, dans un monde qui est le nôtre et que nous connaissons bien. Se produit là et alors un événement que les lois de ce même monde ne suffisent pas à expliquer. Et celui qui perçoit l'événement doit choisir entre deux explications : ou bien il est victime d'une illusion des sens, ou bien l'événement s'est effectivement produit, mais dans une réalité régie par des lois inconnues.

Pour Todorov, le fantastique « occupe le temps de cette incertitude » ; choisit-on l'une des deux réponses que l'on quitte aussitôt le fantastique pour l'un de ses territoires voisins, l'étrange ou le merveilleux. « Le fantastique, c'est l'hésitation éprouvée par un être qui ne connaît que les lois naturelles, face à un événement en apparence surnaturel. » « J'en vins presque à croire », voilà la formule qui résume l'esprit du fantastique, « la foi absolue comme l'incrédulité totale nous mèneraient hors du fantastique ; c'est l'hésitation qui lui donne vie. »

Cette hésitation du personnage devient ipso facto une fonction du lecteur, qui oscille en même temps que le héros. Lisant l'*Introduction à la littérature fantastique*, une question nous vient : ne peut-on parler d'un pacte fantastique contracté entre le lecteur et l'auteur, à la manière du pacte autobiographique consenti ailleurs ? Dans les deux situations de lecture, si différentes soient-elles, ce que l'on nous demande, c'est de croire. L'hésitation du lecteur est la première condition du fantastique ;

il faut que le texte oblige le lecteur à considérer le monde des personnages comme un monde de personnes vivantes et à hésiter entre une explication naturelle et une explication surnaturelle des événements. Ensuite, cette hésitation peut être ressentie également par un personnage ; « ainsi le rôle de lecteur est pour ainsi dire confié à un personnage et dans le même temps l'hésitation se trouve représentée, elle devient un des thèmes de l'œuvre ; dans le cas d'une lecture naïve, le lecteur réel s'identifie avec le personnage ». Enfin, il importe que le lecteur adopte une certaine attitude à l'égard du texte : « il refusera aussi bien l'interprétation allégorique que l'interprétation "poétique" ».

La Peur – titre général de notre livre – a souvent partie liée avec le fantastique, sans en être toutefois une condition nécessaire. Quant à l'ambiguïté, elle tient à l'emploi de deux procédés d'écriture, l'imparfait et la modalisation. Le fantastique implique la fiction, écarte le sens allégorique ou la moralité de la fable, l'allégorie tuerait le fantastique.

• L'énoncé

Une figure de rhétorique, l'exagération, sous-tend le fantastique en empruntant les chemins de la comparaison et Todorov écrit : « Le fantastique se sert des figures de rhétorique parce qu'il y a trouvé son origine. Le diable et les vampires n'existent que dans les mots, seul le langage permet de concevoir ce qui est toujours absent : le surnaturel. »

• L'énonciation

Le narrateur dit « Je » ; en tant que narrateur, son discours n'est pas à soumettre à l'épreuve de la vérité, mais en tant que personnage, il peut mentir ; « la première personne racontante permet l'identification du lecteur au personnage, « Je » appartient à tous. En outre, pour faciliter l'identification, le narrateur sera un "homme moyen" en qui tout lecteur peut se reconnaître ». Nous ne doutons pas du témoignage du narrateur, nous cherchons avec lui une explication rationnelle.

• L'aspect syntaxique

Un effet doit être créé à la fin de l'histoire, et tout dans le texte doit préparer à cet événement en obéissant à une gradation interne ; c'est ce que préconisait Edgar Poe ; Todorov, nous y reviendrons, s'appuyant en outre sur *Qui sait ?*, écarte cette gradation en tant que nécessité.

Le thème du double

Chez Maupassant, le double incarne la menace, il est un avant-signe du danger et de la peur, non chez Hoffmann pour qui l'apparition du double est une cause de joie. Selon Penzoldt cité par Todorov, le surnaturel, pour nombre d'auteurs, ne fut qu'un prétexte pour décrire des choses qu'ils n'auraient jamais osé mentionner en termes réalistes. Le fantastique fut aussi ce combat contre la censure, qu'elle soit institutionnalisée ou produit de la psyché de l'auteur. On enferme le fou dans une prison spéciale, la maison de santé, le surnaturel soustrait le texte à l'action de la loi et par là la transgresse. Au début du récit, note Tzvetan Todorov, il y a toujours une situation stable, puis survient un événement rompant le calme, occasion d'un déséquilibre, transgression de la loi.

Dans le cas de Maupassant, dernier tenant historique du fantastique, le fantastique peut (aussi) être lu comme réaction au positivisme d'Auguste Comte, attitude philosophique et scientifique consistant à s'en tenir aux faits et à refuser toute hypothèse métaphysique pour expliquer la réalité.

Le fantastique de Maupassant, de la norme à l'écart

L'écriture du fantastique de Maupassant s'appuie sur de nombreuses comparaisons, nous ne reprendrons ici que celles signalées par Todorov lui-même, l'une des études possibles des textes consisterait à systématiser ce travail. Dans *La Chevelure*, par exemple, un objet vous séduit : « vous trouble, vous envahit comme ferait un visage de femme ». On « le [le bibelot] caresse de l'œil et de la main comme s'il était de chair ; [...] on va le contempler avec une tendresse d'amant ». Dans *Qui sait ?* : le gros tas d'arbres « avait l'air d'un tombeau où ma maison était ensevelie », « J'avançais comme un chevalier des époques ténébreuses pénétrait en un séjour de sortilèges. » Quant au statut du narrateur d'*Un Fou ?*, il dit : « Il y avait sur ma table une sorte de couteau-poignard dont je me servais pour couper les feuillets des livres. Il allongea sa main vers lui. Elle semblait ramper, s'approchait lentement ; et tout d'un coup je vis, oui je vis le couteau lui-même tressaillir, puis il remua, puis il glissa doucement, tout seul, sur le bois, vers la main arrêtée qui l'attendait, et il vint se placer sous ses doigts. Je me mis à crier de terreur. » Écoutons Todorov encore. Les nouvelles de Maupassant illustrent les différents degrés de confiance que nous accordons aux récits. « On peut en distinguer deux, selon que le narrateur est extérieur à l'histoire ou en est un des agents principaux. Extérieur, il peut ou non authentifier lui-même les dires du personnage, et le premier cas rend le récit plus convaincant, comme dans l'extrait cité d'*Un fou ?* Sinon, le lecteur sera tenté d'expliquer le fantastique par la folie, comme dans *La Chevelure* et dans la première version du *Horla* ; d'autant que le cadre du récit est chaque fois une maison de santé.

Mais dans ses meilleures nouvelles fantastiques – *Lui ?*, *La Nuit*, *Le Horla*, *Qui sait ?* – Maupassant fait du narrateur le héros même de l'histoire. L'accent est alors mis sur le fait qu'il s'agit du discours d'un personnage plus que d'un discours de l'auteur : la parole est sujette à caution, et nous pouvons bien supposer que tous les personnages sont des fous ; toutefois, du fait qu'ils ne sont pas introduits par un discours distinct du narrateur, nous leur prêtons encore une paradoxale confiance […]. Le narrateur représenté convient au fantastique, car il facilite la nécessaire identification du lecteur avec les personnages. Le discours du narrateur a un statut ambigu, et les auteurs l'ont exploité différemment, mettant l'accent sur l'un ou l'autre de ses aspects : appartenant au narrateur, le discours est en deçà de l'épreuve de vérité ; appartenant au personnage, il doit se soumettre à l'épreuve.

Norme du fantastique, le superlatif et l'excès… Dans *Qui sait ?*, l'événement surnaturel à l'origine de la nouvelle est l'animation inexplicable des meubles du logis, événement sans aucune logique face auquel nous nous demandons moins « ce qu'il veut dire » que nous ne sommes frappés par l'étrangeté du fait même. « Ce n'est pas l'animation des meubles qui compte réellement, mais le fait que quelqu'un ait pu l'imaginer et la vivre. À nouveau la perception du surnaturel jette une ombre épaisse sur le surnaturel lui-même et nous rend son accès difficile. »

À la lumière de nos lectures, l'écart prend place. Si *Sur l'eau* ne nous donne guère d'explication rationnelle quant au trouble du personnage – encore qu'il boive pas mal de rhum –, la chute du récit l'apparente bien plus à la nouvelle qu'au conte, c'est le cadavre d'une noyée qui immobilise l'embarcation, et notre hésitation s'efface avec ce constat on ne peut plus rationnel. La nouvelle met en valeur ce que l'existence comporte de problématique, ici, le suicide de cette pauvre femme. *La Peur* elle aussi nous fournit ses explications, l'écho d'un tambour dans les dunes, la présence d'un vieux chien dans la nuit hivernale, en revanche, l'absence de dénouement de *La Main* (« Mais ce n'est pas un dénouement cela ») nous autorise à douter, voire à imaginer ce qui s'est passé. Pour quelle solution optons-nous ? De même pour *Apparition*, les réticences du gardien à laisser passer le héros et la matérialité, elle indiscutable, du cheveu enroulé autour d'un bouton, ne nous guident-elles pas vers une explication ? Celle d'une séquestration par exemple. En contrepartie, la problématique de *Lui ?* a affaire avec le sentiment de dédoublement éprouvé par Guy de Maupassant (et par Georges Duroy au miroir). Enfin, serions-nous tentés par l'explication allégorique de *Qui sait ?* : l'amour des antiquités ruinant l'homme, par exemple, que l'« incarcération » finale en maison de santé nous renverrait bientôt à l'hésitation, celle de l'univers des symptômes et de la folie latente, à moins que ce ne soit malice d'écriture et d'imagination.

Correspondances

Choix de textes fantastiques

- Hoffmann, *L'Homme au sable, Contes nocturnes*, 1817.
- Gautier, *La Cafetière*, 1831.
- Mérimée, *La Vénus d'Ille*, 1837.
- Nerval, *Aurélia*, 1855.
- Rodenbach, *L'Ami des miroirs*.
- Dostoïevski, *Le Double*, 1846.

1

« En voyant ce Coppelius, il se révéla à moi que nul autre que lui ne pouvait être l'Homme au sable ; mais l'Homme au sable n'était plus à ma pensée cet ogre du conte de la nourrice, qui enlève les enfants pour les porter dans la lune à sa progéniture à bec de hibou. Non ! C'était plutôt une odieuse et fantastique créature qui, partout où elle paraissait, portait le chagrin, le tourment et le besoin, et qui causait un mal réel, un mal durable. J'étais comme ensorcelé, ma tête restait tendue entre les rideaux, au risque d'être découvert et cruellement puni. Mon père reçut solennellement Coppelius. "Allons, à l'ouvrage !" s'écria celui-ci d'une voix sourde, en se débarrassant de son habit. Mon père, d'un air sombre, quitta sa robe de chambre, et ils se vêtirent tous deux de longues robes noires. Je n'avais pas remarqué le lieu d'où ils les avaient tirées. Mon père ouvrit la porte d'une armoire, et je vis qu'elle cachait une niche profonde où se trouvait un fourneau. Coppelius s'approcha, et du foyer s'éleva une flamme bleue. Une foule d'ustensiles bizarres apparurent à cette clarté ; Mais, mon Dieu ! Quelle étrange métamorphose s'était opérée dans les traits de mon vieux père ! Une douleur violente et mal contenue semblait avoir changé l'expression honnête et loyale de sa physionomie qui avait pris une contraction satanique. Il ressemblait à Coppelius ! Celui-ci brandissait des pinces incandescentes, et attisait les charbons ardents du foyer. Je croyais apercevoir tout autour de lui des figures humaines, mais sans yeux : des cavités noires, profondes et souillées, en tenaient la place. "Des yeux ! Des yeux !" s'écria Coppelius d'une voix sourde et menaçante.

Je tressaillis, et je tombai sur le parquet, violemment terrassé par une horreur puissante. Coppelius me saisit alors. "Un petit animal ! Un petit animal !" dit-il en grinçant affreusement les dents. À ces mots, il me jeta sur le fourneau, dont la flamme brûlait déjà mes cheveux. "Maintenant, s'écria-t-il, nous avons des yeux, une belle paire d'yeux d'enfant !" Et il prit de ses mains dans le foyer une poignée de charbons et feu qu'il se disposait à me jeter au visage, lorsque mon père lui cria, les mains jointes : "Maître ! Maître ! Laisse les yeux à mon Nathanaël." »

Ernst Hoffmann, *L'Homme au sable*,
Contes nocturnes, 1817.

–2

« L'année dernière, je fus invité, ainsi que deux de mes camarades d'atelier, Arrigo Cohic et Pedrino Borgnioli, à passer quelques jours dans une terre au fond de la Normandie.

Le temps, qui, à notre départ, promettait d'être superbe, s'avisa de changer tout à coup, et il tomba tant de pluie, que les chemins creux où nous marchions étaient comme le lit d'un torrent.

Nous enfoncions dans la bourbe jusqu'aux genoux, une couche épaisse de terre grasse s'était attachée aux semelles de nos bottes, et par sa pensanteur ralentissait tellement nos pas, que nous n'arrivâmes au lieu de notre destination qu'une heure après le coucher du soleil.

Nous étions harassés ; aussi, notre hôte, voyant les efforts que nous faisions pour comprimer nos bâillements et tenir les yeux ouverts, aussitôt que nous eûmes soupé, nous fit conduire chacun dans notre chambre.

La mienne était vaste ; je sentis, en y entrant, comme un frisson de fièvre, car il me sembla que j'entrais dans un monde nouveau.

En effet, l'on aurait pu se croire au temps de la Régence, à voir les dessus-de-porte de Boucher représentant les quatre Saisons, les meubles surchargés d'ornements de rocaille du plus mauvais goût, et les trumeaux des glaces sculptés lourdement.

Rien n'était dérangé. La toilette couverte de boîtes à peignes, de houppes à poudrer, paraissait avoir servi la veille. Deux ou trois robes de couleurs changeantes, un éventail semé de paillettes d'argent, jonchaient le parquet bien ciré, et, à mon grand étonnement, une tabatière d'écaille ouverte sur la cheminée était pleine de tabac encore frais.

Je ne remarquai ces choses qu'après que le domestique, déposant son bougeoir sur la table de nuit, m'eut souhaité un bon somme, et, je l'avoue, je commençai à trembler comme la feuille. Je me déshabillai promptement, je me couchai, et, pour en finir avec ces sottes frayeurs, je fermai bientôt les yeux en me tournant du côté de la muraille.

Mais il me fut impossible de rester dans cette position : le lit s'agitait sous moi comme une vague, mes paupières se retiraient violemment en arrière. Force me fut de me retourner et de voir.

Le lieu qui flambait jetait des reflets rougeâtres dans l'appartement, de sorte qu'on pouvait sans peine distinguer les personnages de la tapisserie et les figures des portraits enfumés pendus à la muraille.

C'étaient les aïeux de notre hôte, des chevaliers bardés de fer, des conseillers en perruque, et de belles dames au visage fardé et aux cheveux poudrés à blanc, tenant une rose à la main.

Tout à coup le feu prit un étrange degré d'activité, une lueur blafarde illumina la chambre, et je vis clairement que ce que j'avais pris pour de vaines peintures était la réalité ; car les prunelles de ces êtres encadrés remuaient, scintillaient d'une façon singulière ; leurs lèvres s'ouvraient et se fermaient comme des lèvres de gens qui parlent, mais je n'entendais rien que le tic-tac de la pendule et le sifflement de la bise d'automne.

Une terreur insurmontable s'empara de moi, mes cheveux se hérissèrent sur mon front, mes dents s'entrechoquèrent à se briser, une sueur froide inonda tout mon corps.

La pendule sonna onze heures. Le vibrement du dernier coup retentit longtemps, et, lorsqu'il fut éteint tout à fait…

Oh ! non, je n'ose pas dire ce qui arriva, personne ne me croirait, et l'on me prendrait pour un fou.

Les bougies s'allumèrent toutes seules, le soufflet, sans qu'aucun être visible lui imprimât le mouvement, se prit à souffler le feu, en râlant comme un vieillard asthmatique, pendant que les pincettes fougonnaient dans les tisons et que la pelle relevait les cendres.

Ensuite une cafetière se jeta en bas d'une table où elle était posée, et se dirigea, clopin-clopant, vers le foyer, où elle se plaça entre les tisons.

Quelques instants après, les fauteuils commencèrent à s'ébranler, et, agitant leurs pieds tortillés d'une manière surprenante, vinrent se ranger autour de la cheminée.

Théophile Gautier, La Cafetière, 1831.

3

« C'était bien une Vénus, et d'une merveilleuse beauté. Elle avait le haut du corps nu, comme les anciens représentaient d'ordinaire les grandes divinités ; la main droite, levée à la hauteur du sein, était tournée, la paume en dedans, le pouce et les deux premiers doigts étendus, les deux autres légèrement ployés. L'autre main, rapprochée de la hanche, soutenait la draperie qui couvrait la partie inférieure du corps. L'attitude de cette statue rappelait celle du Joueur de mourre qu'on désigne, je ne sais trop pourquoi, sous le nom de Germanicus. Peut-être avait-on voulu représenter la déesse jouant au jeu de mourre.

Quoi qu'il en soit, il est impossible de voir quelque chose de plus parfait que le corps de cette Vénus ; rien de plus suave, de plus voluptueux que ses contours ; rien de plus élégant et de plus noble que sa draperie. Je m'attendais à quelque ouvrage du Bas-Empire ; je voyais un chef-d'œuvre du meilleur temps de la statuaire. Ce qui me frappait surtout, c'était l'exquise vérité des formes, en sorte qu'on aurait pu les croire moulées sur nature, si la nature produisait d'aussi parfaits modèles.

La chevelure, relevée sur le front, paraissait avoir été dorée autrefois. La tête, petite comme celle de presque toutes les statues grecques, était légèrement inclinée en avant. Quant à la figure, jamais je ne parviendrai à exprimer son caractère étrange, et dont le type ne se rapprochait de celui d'aucune statue antique dont il me souvienne. Ce n'était point cette beauté calme et sévère des sculpteurs grecs, qui, par système, donnaient à tous les traits une majestueuse immobilité. Ici, au contraire, j'observais avec surprise l'intention marquée de l'artiste de rendre la malice arrivant jusqu'à la méchanceté. Tous les traits étaient contractés légèrement : les yeux un peu obliques, la bouche relevée des coins, les narines quelque peu gonflées. Dédain, ironie, cruauté, se lisaient sur ce visage d'une incroyable beauté cependant. En vérité, plus on regardait cette admirable statue, et plus on éprouvait le sentiment pénible qu'une si merveilleuse beauté pût s'allier à l'absence de toute sensibilité.

"Si le modèle a jamais existé, dis-je à M. de Peyrehorade, et je doute que le ciel ait jamais produit une telle femme, que je plains ses amants ! Elle a dû se complaire à les faire mourir de désespoir. Il y a dans cette expression quelque chose de féroce, et pourtant je n'ai jamais rien vu de si beau.

– C'est Vénus tout entière à sa proie attachée !" s'écria M. de Peyrehorade, satisfait de mon enthousiasme.

Cette expression d'ironie infernale était augmentée peut-être par le contraste de ses yeux incrustés d'argent et très brillants avec la patine d'un vert noirâtre que le temps avait donné à toute la statue. Ces yeux brillants produisaient une certaine illusion qui rappelait la réalité, la vie. Je me souvins de ce que m'avait dit mon guide, qu'elle faisait baisser les yeux à ceux qui la regardaient. Cela était presque vrai, et je ne pus me défendre d'un mouvement de colère contre moi-même en me sentant un peu mal à mon aise devant cette figure de bronze. »

Prosper Mérimée, *La Vénus d'Ille*, 1837.

4

« Le rêve est une seconde vie. Je n'ai pu percer sans frémir ces portes d'ivoire ou de corne qui nous séparent du monde invisible. Les premiers instants du sommeil sont l'image de la mort ; un engourdissement nébuleux saisit notre pensée, et nous ne pouvons déterminer l'instant précis où le moi, sous une autre forme, continue l'œuvre de l'existence. C'est un souterrain vague qui s'éclaire peu à peu, et où se dégagent de l'ombre et de la nuit les pâles figures gravement immobiles qui habitent le séjour des limbes. Puis le tableau se forme, une clarté nouvelle illumine et fait jouer ces apparitions bizarres ; le monde des Esprits s'ouvre pour nous... C'est ainsi que je m'encourageai à une audacieuse tentative. Je résolus de fixer le rêve et d'en connaître le secret. "Pourquoi, me dis-je, ne point enfin forcer ces portes mystiques, armé de toute ma volonté, et dominer mes sensations au lieu de les subir ? N'est-il pas possible de dompter cette chimère attrayante et redoutable, d'imposer une règle à ces esprits des nuits qui se jouent de notre raison ? Le sommeil occupe le tiers de notre vie. Il est la consolation des peines de nos journées ou la peine de leurs plaisirs ; mais je n'ai jamais éprouvé que le sommeil fût un repos. Après un engourdissement de quelques minutes une vie nouvelle commence, affranchie des conditions du temps et de l'espace, et pareille sans doute à celle qui nous attend après la mort. Qui sait s'il n'existe pas un lien entre ces deux existences et s'il n'est pas possible à l'âme de la nouer dès à présent ?" De ce moment, je m'appliquai à chercher le sens de mes rêves, et cette inquiétude influa sur mes réflexes de l'état de veille. Je crus comprendre qu'il existait entre le monde externe et le monde interne un lien ; que l'inattention ou le désordre d'esprit en faussaient seuls les rapports apparents – et qu'ainsi s'expliquait la bizarrerie de certains tableaux, semblables à ces reflets grimaçants d'objets réels qui s'agitent sur l'eau troublée. Telles étaient les inspirations de mes nuits. »

Gérard de Nerval, *Aurélia*, 1855.

5

« La folie, parfois, n'est que le paroxysme d'une sensation qui, d'abord, avait une apparence purement artistique et subtile. J'eus un ami, interné dans une maison de santé, où il mourut d'une mort dramatique que je dirai tantôt, dont le mal commença de façon anodine et par des remarques qui ne semblaient que d'un poète.

À l'origine, il eut le goût des miroirs ; rien de plus.

Il les aimait. Il se penchait sur leur mystère fluide. Il les contemplait, comme des fenêtres ouvertes sur l'infini. Mais il les craignait aussi. Un soir qu'il était rentré de voyage, après ses longues absences coutumières, je le trouvai chez lui, anxieux.

– Je repars cette nuit même, me dit-il.

– Mais vous comptiez, cette fois, passer l'hiver ici ?

– Oui ; mais je repars tout de suite. Cet appartement m'est trop hostile... Les lieux nous quittent davantage que nous ne les quittons. Je me sens un étranger dans ces chambres, parmi mes propres meubles, qui ne me reconnaissent plus. Je ne pourrai pas rester... Il y a un silence que je dérange... Tout m'est hostile. Et tout à l'heure, en passant devant la glace, j'ai pris peur... C'était comme une eau qui allait s'ouvrir, se refermer sur moi ! »

Georges Rodenbach, *L'Ami des miroirs*.

–6

« Moi, Antoine Antonovitch, Dieu merci, prononça, bégayant un peu, M. Goliadkine, je vais très bien, Antoine Antonovitch... Je ne vais pas trop mal en ce moment, Antoine Antonovitch, ajouta-t-il d'une voix mal assurée, ne se fiant pas encore tout à fait à Antoine Antonovitch tant de fois nommé.

– Ah !... ? Il me semblait que vous n'étiez pas bien... d'ailleurs il n'y aurait rien d'étonnant, il faut dire. Surtout maintenant, avec toutes ces épidémies. Vous savez...

– Oui, Antoine Antonovitch, je sais qu'il y a toutes ces épidémies... Ce n'est pas pour cela, Antoine Antonovitch..., poursuivit M. Goliadkine, considérant avec insistance Antoine Antonovitch, je ne sais même pas, Antoine Antonovitch, comment vous dire..., c'est-à-dire, je veux dire, par quel côté prendre cette affaire, Antoine Antonovitch...

– Comment, s'il vous plaît ? Je ne vous... voyez-vous... je vous avouerai que je ne comprends pas tout à fait bien ; vous... savez-vous, expliquez-vous plus en détail, sous quel rapport vous vous trouvez dans l'embarras..., répondit Antoine Antonovitch, lui-même quelque peu embarrassé en voyant des larmes monter aux yeux de M. Goliadkine.

– Je... voyez-vous... il y a ici, Antoine Antonovitch... il y a un fonctionnaire, Antoine Antonovitch...

– S'il vous plaît ? Je ne comprends toujours pas.

– Je veux dire, Antoine Antonovitch, qu'il y a ici un nouveau fonctionnaire...

– Oui, en effet ; votre homonyme.

– Comment ? s'exclama M. Goliadkine.

– Je dis : votre homonyme ; il s'appelle aussi Goliadkine. Ne serait-ce pas votre frère ?

– Non point, Antoine Antonovitch, je...

– Hum ! Par exemple ! J'avais dans l'idée que ce devait être votre proche parent. Savez-vous qu'il a, comme ça, une espèce d'air de famille avec vous !

M. Goliadkine resta abasourdi. Il fut un moment sans pouvoir articuler un mot. Comment pouvait-on traiter aussi légèrement une chose aussi absurde, aussi inouïe, une affaire véritablement unique en son genre, une affaire qui frapperait de stupéfaction l'observateur le moins intéressé, parler d'air de famille alors qu'il s'était vu, lui, comme dans un miroir ? »

Fiodor Dostoïevski, Le Double, 1846.

La composition du conte

« Le conte est un montage minutieux d'orfèvrerie ou d'horlogerie :
tous les traits se subordonnent à ce trait privilégié où le conteur a su
déceler l'aiguillon le plus vif de son émotion, la tête barbue dans la
lucarne, le cadavre du vieux dans la huche à pain. L'originalité de
chaque élément est d'une nécessité extrême. Nul temps mort : un
rien de lenteur, de complaisance superflue peut compromettre l'effet.
Nulle hâte inconsidérée non plus, car il ne faut omettre rien d'essentiel à la préparation de l'état d'émotion – ou d'intelligence – où doivent éclore le trait et l'instant privilégiés. Baudelaire, à qui le ciel
paraissait plus bleu par l'étroite ouverture d'un soupirail, devait se
montrer sensible à la rigueur particulière de ce mode de composition ; il en fait une phrase où nous ne regretterons une fois encore,
que la substitution du mot de "nouvelle" à celui de "conte" : "La
nouvelle, plus resserrée, plus condensée" (que le roman) "jouit des
bénéfices éternels de la contrainte : son effet est plus intense." Poe
proclamait la nécessité d'ordonner la matière du conte à ce qu'il
nommait *preestablished design* et donnait ce conseil rappelé par
Somerset Maugham : "Ayant conçu avec un soin délibéré un effet
déterminé, un seul, unique, à développer (l'artiste) invente alors des
incidents, il combine des effets, les plus susceptibles de l'aider à fon-
der cet effet préconçu... Dans toute la composition, on ne saurait
écrire un seul mot qui ne tende, directement ou indirectement, au
dessein primitif." »

A. Vial, *Guy de Maupassant et l'art du roman*, Nizet, 1954.

L'art de la création et l'héritage de Flaubert

« À beaucoup d'égards, c'est vous qui êtes le vrai et l'unique succes-
seur de mon cher Flaubert. Vous avez le don essentiel que nous
admirons tant, nous autres découpeurs et analystes, justement parce
qu'il nous manque et qu'il indique un esprit construit sur un patron
opposé au nôtre ; ce don est la plénitude naturelle de la conception,
la faculté de voir par masses et ensembles, l'abondance et la richesse

extrêmes d'impressions, souvenirs, idées psychologiques, demi-visions physiques accumulées en bloc, comme soutiens et points d'appui, sous chaque phrase et à chaque mot. Quand on a cela, on peut créer ; quand on n'a pas cela, on ne peut que goûter, analyser, et comprendre les créations d'autrui. »

Taine, lettre à Maupassant, 2 mars 1882.

Le thème de l'eau

Cet élément, à la fois fascinant et sournois dont les valeurs sont doubles, a occupé la vie de Guy et nourri son inspiration. Dans l'eau, il a rencontré les archétypes de son imaginaire, le ludique et le danger. *Sur l'eau* offre bien ces deux aspects.

« Complètement révélé par l'eau, Maupassant en sort comme d'un bain photographique. Nous en avons vu émerger un à un les éléments, qu'il faut maintenant rassembler. La vie est absurde. Il n'y a pas de Dieu. Ou c'est un Dieu cruel. Il n'y a que le plaisir et la peur. Il n'y a que le Bélier de Palerme. Dans ces conditions, il est stupide de s'engager. Ni en politique, ni en littérature, ni en religion. Ni dans la société. Pas plus de mariage que de Légion d'honneur ou d'Académie. Être absent de la vie et absent de son œuvre. Le jeu fini, jamais accepté, il ne reste plus qu'à rentrer dans le sein maternel. Du marais matriciel à la mer sans rivages. Comment ne pas voir là, chez un écrivain qui est beaucoup plus un précurseur du XXᵉ siècle qu'un des derniers du XIXᵉ siècle, traduits en personnages incarnés, les embryons de la philosophie de l'absurde et de la nostalgie fœtale des psychanalystes qui, toutes deux, s'épanouiront si largement après sa mort ?

Constructions a posteriori de critique d'aujourd'hui, auxquelles le sanguin et solide Normand n'aurait jamais pensé ? C'est lui qui répond, le grossier marin d'Étretat : Autre chose s'en dégage, un autre mystère, plus profond, plus grave, flotte dans les brouillards épais, le mystère même de la création, peut-être. Peut-être...

Le Normand a le dernier mot. L'eau qui avait été sa vie apparaît à la fin l'image même de la mort qu'il rêvait, et qu'il serait si bon de lui rendre, au lieu de l'interminable agonie asilaire.

Il m'arrive parfois de faire ce rêve éveillé : je suis couché sur le dos, dans le sable, au bord de la mer. Soudain, je me sens glisser, glisser. À ce moment, une vague me recouvre, puis une autre, puis encore une autre. Et je glisse toujours lentement. Je sens que je m'en vais vers des abîmes insondables. Au-dessus de moi, la lumière est bleue, d'un bleu laiteux, strié d'or. C'est ainsi que je voudrais mourir...

Ainsi aurait dû disparaître, au-delà des brumes empoisonnées de Passy, le Mauvais Passant, entre le marais matriciel et la mer où tout meurt, <u>dans son élément</u>. »

Armand Lanoux, Maupassant, le bel ami, Fayard, 1967.

Deux qualités d'écriture, la rigueur et la clarté

« Monsieur de Maupassant est certainement un des plus francs conteurs de ce pays où l'on fit tant de contes, et de si bons. Sa langue forte, simple, naturelle, a un goût du terroir qui nous la fait aimer chèrement. Il possède les trois qualités de l'écrivain français : d'abord la clarté, puis encore la clarté, et enfin la clarté. Il a l'esprit de mesure et d'ordre qui est celui de notre race. »

Anatole France, La Vie littéraire, tome 1, 1888.

Paternités littéraires de Maupassant

On a peut-être trop écrit qu'il était l'héritier de Gustave Flaubert ; la lignée dans laquelle il prend place et s'inscrit est celle des grands conteurs français de la Renaissance et de l'âge classique, une qualité commune les unit, la verve, la truculence gourmande du bien dire.

« S'il a été dès la première heure compris et aimé, c'était qu'il apportait à l'âme française les dons et les qualités qui ont fait le meilleur de la race. On le comprenait parce qu'il était la clarté, la simplicité, la mesure et la force. On l'aimait parce qu'il avait la bonté rieuse, la satire profonde, qui, par un miracle, n'est point méchante, la gaieté brave qui persiste même sous les larmes. Il était de la grande lignée que l'on peut suivre depuis les balbutiements de notre langue jusqu'à nos jours. Il avait pour aïeux Rabelais,

Montaigne, Molière, La Fontaine, les forts et les clairs, ceux qui sont la raison et la lumière de notre littérature. Et dans la suite des temps, ceux qui ne le connaîtront que par ses œuvres, l'aimeront pour l'éternel amour qu'il a chanté à la vie. »

Émile Zola, discours aux obsèques de Guy de Maupassant,
le 10 juillet 1893.

L'art du peintre, de l'étude à l'essentielle suggestion

« M. de Maupassant observe son modèle – sans nous en faire la confidence – ni nous faire passer à notre tour par les « études » qu'il en a faites, jusqu'à ce qu'il en ait saisi le caractère ou le trait essentiel, celui qui les distingue de tous les autres êtres, ou de tous les autres objets qui lui ressemblent. »

Ferdinand Brunetière, « Les nouvelles de M. de Maupassant »,
Revue des Deux-Mondes, tome LXXIX, 1888.

Maupassant peintre a l'art d'imposer des figures humaines qui sont des types d'humanité, ce en quoi ils ne sont plus particuliers, mais exemplaires.

« L'art descriptif de Maupassant est beaucoup plus profond qu'il ne paraît à première vue. Il pousse jusqu'au vif et fixe, en même temps que l'aspect transitoire et particulier des hommes, les caractères spécifiques et inaltérables de la race ; il donne à chacun d'eux son relief et sa valeur générale, sa portée humaine. »

René Dumesnil, Guy de Maupassant, J. Tallandier, 1947.

Le premier engagement de Maupassant dans son texte ne consiste pas tant à s'y peindre qu'à privilégier une écriture de l'exemplaire et de l'universel.

« Animant par la magie de sa plume les figures les plus variées, il se félicite de répondre à sa vocation et de définir une existence qu'il révèle. Avec une constante générosité, il souhaite livrer au public les secrets de cette dernière, même lorsqu'il adopte l'apparence de rapporter des aventures auxquelles il ne participe pas directement. Il s'engage sans réserve dans toutes les pages qu'il écrit. Il méprise tout ce qui n'est pas l'expression immédiate d'une réalité intimement perçue, d'une réalité particulière et symbolique à la fois. »

Albert-Marie Schmidt, « Avertissement », in *Contes et Nouvelles de Guy de Maupassant*, Albin Michel, 1957.

Pessimiste sous l'influence de Schopenhauer et de Flaubert, mais tôt marqué par la vie, l'ennui et la maladie, Maupassant semblait, mieux que d'autres, destiné à comprendre les déchéances humaines sur lesquelles il ne portait aucun jugement, se contentant de les cerner du plus près possible en littérature.

« Au fond du pessimisme, Maupassant avait trouvé la pitié… À mesure qu'on pénètre dans son œuvre, on discerne mieux cette compassion pour tous ceux que domestiquent et accablent les fatalités physiques, les cruautés humaines ou les criminels hasards de l'existence… Et cette charité parfois hautaine ne s'inspirera d'aucune religion, d'aucun mysticisme : elle sera simplement et largement humaine. »

Pol Neveux, *Discours pour l'inauguration du monument à Guy de Maupassant à Rouen*, le 27 mai 1900.

C'est cette capacité à embrasser l'universel humain en observateur auquel rien finalement n'échappe, que retient le critique suivant :

« Rien de ce qui est humain ne lui est étranger. Tous les sentiments, toutes les passions, tous les tics, toutes les manières, il les ressuscite. Il dépeint les êtres au moral et au physique, explique l'intérieur des individus par leur extérieur. C'est ce qui différencie un être d'un autre être qui l'intéresse, c'est le particulier. Mais il arrive que ce particulier incarne toute une classe, toute une catégorie d'êtres. »

Gérard de Lacaze-Duthiers, *Guy de Maupassant : son œuvre. Document pour l'histoire de la littérature française*, Édition de La Nouvelle Revue critique, 1926.

Modernité poétique de Maupassant

Maupassant choisit d'écrire le surnaturel et l'onirique, l'hallucination et ses visions ; cette priorité gomme dans le texte qui en résulte une abondance de détails classiques, voire par exemple l'effacement des portraits des personnages, réduits à leur angoisse et à leur seule appréhension du monde.

« En schématisant à l'extrême, nous verrions assez bien une ligne de continuité qui nous mène de Maupassant au surréalisme, du surréalisme à la notion de rêve, rêve étant pris dans le sens le plus large du mot, du rêve à la notion de chose et de la notion de chose au nouveau roman. »

Pierre Cogny, *Le Maupassant du « Horla »*,

Lettres modernes, 1970.

Le fantastique

« Le fantastique, chez Maupassant, ce n'est pas l'intrusion brutale des phénomènes étranges dans la vie quotidienne. Tout peut s'éclairer chez lui, d'une façon parfois décevante ("Je vous avais bien dit que mon explication ne vous irait pas", conclut un personnage). Le fantastique, c'est tout ce qui rôde hors de l'homme et dans l'homme et le laisse, la conscience vidée par l'angoisse, sans solution ni réaction. Le fantastique, c'est la débâcle de la conscience, son impuissance à rendre compte des grands pans d'inconnu qui s'abattent soudain. Cet inconnaissable rôde, et c'est lui que l'écrivain parvient à maîtriser au détour des mots, comme le faisait aussi Tourgueniev : il "a cherché les nuances, a rôdé autour du surnaturel plutôt que d'y pénétrer... On trouve de place en place... quelques-uns de ces récits mystérieux et saisissants qui font passer des frissons dans les veines. Dans son œuvre pourtant, le surnaturel demeure toujours si vague, si enveloppé qu'on ose à peine dire qu'il ait voulu l'y mettre. Il raconte plutôt ce qu'il a éprouvé, comme il l'a éprouvé, en laissant deviner le trouble de son âme, son angoisse devant ce qu'elle ne comprenait pas, et cette poignante sensation de la peur inexplicable qui passe, comme un souffle inconnu parti d'un autre monde".

Il n'y a rien de plus lucide que le récit de cette aliénation. Pour retracer les étapes de cette lutte entre l'Autre et le semblable, l'œuvre retrouve naturellement la forme qui installe l'écrivain devant le miroir : le journal, ou la lettre testamentaire.

Avec une minutie digne de Gogol, l'être y dépeint sa dépression, depuis *Héraclius Gloss* jusqu'au *Horla* en passant par *Suicides*,

Lui ?, *Un fou*. L'analyse se poursuit jusqu'à un effondrement devant lequel bute le mot : la lettre s'arrêtait là…, le manuscrit s'achevait ici… dit souvent le narrateur. Brève clairvoyance arrachée au néant, entre deux lignes de points de suspension.

Démence de Maupassant ? Plutôt implacable aventure d'une conscience qui reflète le monde, et lucide odyssée d'une écriture. »

Louis Forestier, Préface aux *Contes et nouvelles* de Maupassant,
Gallimard, La Pléiade, 1974.

À propos de *Qui sait ?*

« Les nouvelles de Maupassant illustrent les différents degrés de confiance que nous accordons aux récits. On peut en distinguer deux, selon que le narrateur est extérieur à l'histoire ou en est un des agents principaux. Extérieur, il peut ou non authentifier lui-même les dires du personnage, et le premier cas rend le récit plus convaincant, comme dans *Un fou ?* Sinon, le lecteur sera tenté d'expliquer le fantastique par la folie, comme dans *La Chevelure* et dans la première version du *Horla* ; d'autant que le cadre du récit est chaque fois une maison de santé.

Mais dans ses meilleures nouvelles fantastiques – *Lui ?*, *la Nuit*, *le Horla*, *Qui sait ?* –, Maupassant fait du narrateur le héros même de l'histoire (c'est le procédé d'Edgar Poe et de beaucoup d'autres après lui). L'accent est alors mis sur le fait qu'il s'agit du discours d'un personnage plus que d'un discours de l'auteur : la parole est sujette à caution, et nous pouvons bien supposer que tous ces personnages sont des fous ; toutefois, du fait qu'ils ne sont pas introduits par un discours distinct du narrateur, nous leur prêtons encore une paradoxale confiance. On ne nous dit pas que le narrateur ment et la possibilité qu'il mente, en quelque sorte structuralement nous choque ; mais cette possibilité existe (puisqu'il est aussi personnage), et l'hésitation peut naître chez le lecteur. »

Tzvetan Todorov, *Introduction à la littérature fantastique*,
Le Seuil, 1970.

Maupassant, la peur et la folie. L'œuvre d'un fou ?

« Sujets malades et sujets sains s'affrontent et se confrontent et c'est un

Maupassant parfaitement lucide qui préside aux entretiens : le jeu subtil consiste à laisser tout le monde dans le doute jusqu'au bout, et, dans le Horla-conte, personne ne serait capable d'affirmer en son âme et conscience que ce vampire de l'humanité future n'existe pas. Quand la peur est reconnue comme telle et qu'elle trouve une explication rationnelle, soit dans une lésion organique quelconque, soit dans une présence ou un fait inhabituels, il n'y a que demi-mal : la dernière période, et que Maupassant comprend avec son intelligence bien avant de la subir passivement, est la peur de la peur : "J'avais peur de le revoir, lui. Non pas peur de lui, non pas peur de sa présence, à laquelle je ne croyais point, mais j'avais peur d'un trouble nouveau de mes yeux, peur de l'hallucination, peur de l'épouvante qui me saisirait." (*Lui ?*)

Maupassant, alors, voulait se persuader à tout prix que la science vaincrait la peur, l'inexpliqué et, avec le mystère de l'inconnu, la folie. Et puis, malgré ses efforts, malgré sa volonté exemplaire de lutteur qui considère chaque obstacle comme une source de joie possible, malgré les hommages partout rendus à un talent reconnu pour un modèle de parfaite maîtrise de soi, il lui faut avouer la défaite. Longtemps, il a exorcisé les menaces par des mots et des interrogations : Fou ?, Lui ?, Qui sait ?… et puis il balbutie : "Pourquoi pas moi ?"

La folie de Guy de Maupassant ne serait à ce compte qu'un des documents les plus terribles de l'école naturaliste, qui prétendait ne travailler que sur documents ?

Bien plutôt, jeu cruel du Destin, trop pitoyable pour qu'on ne se contente pas de simples constatations cliniques.

Ne serait-il pas plus enrichissant de se demander comment aurait pu être jugée l'œuvre de Guy de Maupassant si l'on avait ignoré sa vie ? Il y a quelque temps déjà que l'on a renoncé aux abus indiscrets de biographies qui préféraient l'écrivain à l'écriture. L'œuvre de Maupassant serait-elle concevable s'il n'était mort fou ?

Nous croyons pouvoir répondre par l'affirmative et il serait alors question, non plus de ce "cas Maupassant" […] mais de la place de Maupassant dans un mouvement littéraire qui ne s'est pas réclamé de lui. »

> Pierre Cogny, « Le Cas Maupassant »,
> Les Lettres modernes, coll. « Archives »,1970.

Compléments notionnels

Allégorie *(n.f.)*
Cette figure de style présente une pensée sous l'image d'une chose ou d'un personnage, la justice par une balance ou la mort par une faucheuse, par exemple. Que peut incarner cette femme d'*Apparition* ?

Anaphore *(n.f.)*
Répétition, en début de vers ou d'élément syntagmatique (la phrase), d'une même mot, d'une même construction.
« Rome, l'unique objet
         de mon ressentiment !
Rome, à qui vient ton bras
         d'immoler ton amant [...] »

Champ lexical *(n.m.)*
Le champ lexical regroupe tous les mots d'un texte se rapportant à une même notion, une même réalité. Afrique, dunes, Ouargla, sable, tempête, spahis, chameaux, chameliers, ardent, forment le champ lexical du désert dans *La Peur*.

Connotation *(n.f.)*
Tout mot a au moins deux sens, sa dénotation et sa connotation. La dénotation renvoie au sens du dictionnaire (Paris, capitale de la France) ; là ou les connotations sont ce à quoi ce mot nous fait penser selon notre expérience, notre sensibilité ou notre culture (Paris, c'est l'Élysée, l'Assemblée nationale ou le Sénat à moins que ce ne soient les Champs-Élysées, la tour Eiffel et les bateaux-mouches).

Conte *(n.m.)*
Genre littéraire. Récit bref, en prose, d'événements imaginaires, fiction non réaliste à tonalité souvent merveilleuse. C'est cet aspect merveilleux que le lecteur accepte en tant que tel, sans jamais se poser la question de la véracité ou de la logique du récit. Ainsi, dans *La Légende de Saint Julien l'Hospitalier* de Flaubert, nous ne nous étonnons pas de voir un nain « surgir par divertissement d'un pâté ».

Encadrant-Encadré *(adj.)*
Le récit encadré est placé à l'intérieur d'un premier texte, le récit encadrant, qui présente les personnages et les circonstances. Dans *Sur l'eau*, le narrateur du

récit encadrant est celui qui avait loué une petite maison en bord de Seine et qui présente son voisin le canotier. Le récit enchâssé, ou encadré, est celui de ce canotier, rapporté entre guillemets au style direct par le premier narrateur.

Exotisme *(n.m.)*

Selon les Grecs, était exotique tout ce qui n'appartenait pas à la Grèce. Le mot signifia ensuite tout ce qui était extérieur à un pays, une civilisation. Avec le développement de la navigation et des voyages, deux exotismes inspirèrent la littérature française, l'exotisme septentrional et l'exotisme méridional. D'un côté *Pêcheur d'Islande*, de l'autre le *Roman d'un Spahi*, de Pierre Loti. Nerval cède à l'exotisme du Nord, Baudelaire à celui du Sud.

Euphémisme *(n.m.)*

Expression adoucie empêchant de recourir à une formule blessante ou choquante : la maison d'arrêt au lieu de la prison, le troisième âge au lieu des vieux, le tiers-monde au lieu des pays sous-développés, etc.

Figures de style *(n.f.pl.)*

Ce sont des tours d'expression donnant au texte littéraire des effets particuliers, esthétiques ou sémantiques. Le simple relevé des figures de style est insuffisant, on doit s'attacher à définir leur valeur dans l'économie du texte.

Genre *(n.m.)*

C'est l'appartenance d'un texte à un corpus défini par une communauté de traits ou de lois : le comique, l'épique, l'épistolaire, le fantastique, le lyrique, le romanesque, le tragique, etc.

Gradation *(n.f.)*

Figure de style, série de plusieurs termes généralement de même nature, exprimant de manière de plus en plus ou de moins en moins intense une idée ou un sentiment. « Des qualités uniques, rares, réelles » (Proust).

Implicite-Explicite *(adj.)*

Est implicite ce que l'on ne dit pas et que des rapprochements opérés dans le texte peuvent nous amener à comprendre ; est explicite au contraire ce que le texte développe sur le mode de l'explication ou de la présentation des faits.

Métaphore filée *(n.f.)*

Métaphore continuée sur plusieurs vers, plusieurs lignes, voire plusieurs pages par développement du champ sémantique initial. Zola dans *La Terre* utilise une métaphore filée en comparant sur plusieurs pages les champs de blé de la Beauce avec la mer.

Narrateur omniscient *(n.f.)*

Il sait tout sur les faits rapportés, connaît les pensées des personnages, se promène dans plusieurs moments ou plusieurs lieux. On parle alors de focalisation 0.

Nouvelle (n.f.)
Récit bref, en prose, distinct du conte par sa chute, qui doit présenter un aspect primordial ou problématique de l'existence.

Occurrence (n.f.)
Nombre d'apparitions, d'emplois d'un mot, d'une expression dans un texte.

Paradoxe (n.f.)
Fait contraire à la logique ou à la raison.

Phatique (fonction) (n.f.)
Une des six fonctions du langage, elle sert à maintenir le contact : « Allô ! Vous m'entendez ? Vous me suivez ? »

Phonique (effet) (adj.)
Les effets phoniques d'un texte jouent sur les sonorités, l'allitération (« Pour qui sont ces serpents qui sifflent sur vos têtes », Racine), l'assonnance (« Je fais souvent ce rêve étrange et pénétrant », Verlaine) sont des effets phoniques.

Schéma actantiel (n.m.)
Des fonctions agissent dans le récit : le destinateur a le pouvoir de donner ou de refuser un objet ou un ordre, le destinataire reçoit, le sujet désire ou poursuit une quête, l'objet est donné ou recherché, l'adjuvant aide et l'opposant fait obstacle.

Stéréotype (n.m.)
C'est un personnage type, selon l'idée que la littérature se fait d'un individu ; Georges Duroy et Rastignac sont des stéréotypes de l'arriviste, Harpagon et Grandet des stéréotypes de l'avare, Bouvard et Pécuchet des stéréotypes de l'imbécile.

Temps de fiction (n.m.)
Temps de l'histoire, durant lequel se déroulent les faits ; par exemple 80 jours dans Le Tour du monde en 80 jours, de J. Verne.

Tonalité (n.f.)
Ton général sur lequel est écrit le texte, dramatique, tragique, comique, satirique ou l'impression générale qu'il laisse.

Type de texte (n.m.)
Selon sa ou ses fonctions dominantes, un texte appartient à l'un des types suivants : informatif, injonctif, narratif, descriptif, argumentatif, explicatif.

Bibliographie

Contes fantastiques de Maupassant

- Guy de Maupassant, *Le Horla, et autres contes cruels et fantastiques*, Garnier, 1976.

- Guy de Maupassant, *Contes fantastiques complets*, Marabout, 1984.

- *Œuvres complètes de Guy de Maupassant*, Gallimard, « Bibliothèque de la Pléiade », 1979, deux volumes sous la direction de Louis Forestier.

Maupassant

- Maynial Édouard, *La Vie et l'œuvre de Guy de Maupassant*, Mercure de France, Paris, 1956.

- Tassart François, *Souvenirs sur Guy de Maupassant par François son valet de chambre*, Plon, Paris, 1911.

- Morand Paul, *Vie de Guy de Maupassant*, Flammarion, Paris, 1942 et Pygmalion/Gérard Watelet, Paris, 1998.

- Dumesnil René, *Guy de Maupassant*, Tallandier, Paris, 1947.

- Schmidt Albert-Marie, *Maupassant par lui-même*, Le Seuil, Paris, 1962.

- Tassart François, *Nouveaux souvenirs intimes de Guy de Maupassant*, Nizet, Paris, 1962.

- Lanoux Armand, *Maupassant le bel ami*, Fayard, Paris, 1967 et Grasset, Paris, 1979.

- Pouchain Gérard, *Promenades en Normandie avec un guide nommé Guy de Maupassant*, Charles Corlet, Condé-sur-Noireau, 1992.

- Troyat Henri, *Maupassant*, Flammarion, 1989.

• Bancquart Marie-Claire, *Maupassant conteur fantastique*, Les Lettres modernes n° 163, coll. « Archives », Minard, 1976.

• Cogny Pierre, *Le Maupassant du* Horla (*de* Lui ? *à* Qui sait ? : *une étonnante continuité*), Les Lettres modernes, 1970.

Le fantastique

• Vax Louis, *L'Art et la littérature fantastique*, Que sais-je ?, 1960.

• Caillois Roger, *Anthologie du fantastique*, Club français du livre, 1958.

• Baromian Jean-Baptiste, *Panorama de la littérature fantastique de langue française*, Stock, 1978.

• Todorov Tzvetan, *Introduction à la littérature fantastique*, Seuil, 1970.

Filmographie

Les six textes du recueil n'ont pas, à proprement parler, fait l'objet d'adaptations cinématographiques. D'autres contes fantastiques de Maupassant, en revanche, furent mis en images :

– *La Chevelure*, 1961, réalisateur Adou Kyrou (France).

– *Diary of a Madman* (*L'Étrange Histoire du juge Cordier*, d'après *Le Horla*), 1962, réalisateur R. Le Borg (USA).

– *Le Horla*, 1966, réalisateur J.-D. Pollet (France).

CRÉDIT PHOTO : p. 7 Ph.© Hatier/T • p. 28 et reprise page 8 : Ph.© Harlingue-Viollet/T • p. 30 Ph.© E.Palixe/T • p. 40 Ph.© Hachette/T • p. 52 Ph.© J.L.Charmet/T • p. 72 Ph.© Hachette/T • p. 84 Ph.© Kharbine-Tapabor/T • p. 100 Ph.© Roger Viollet/T

Direction de la collection : Pascale MAGNI.
Direction artistique : Emmanuelle BRAINE-BONNAIRE.
Responsable de fabrication : Jean-Philippe DORE.

Compogravure : P.P.C. – Impression : MAME. N° 01042170. Dépôt légal 1re édition : avril 1
Dépôt légal : juin 2001. N° de projet : 10085896 (IV) 45.